閱讀，看見希望

改變台灣閱讀教育的推手——愛的書庫

陳鳳麗・採訪撰文

目錄

推薦序

啟迪童心，共享書香

逢甲大學中文系榮譽教授、台灣閱讀文化基金會董事　李威熊

二戰剛結束，第二年我進入國小就讀，當時國語課本第一冊第一課是「來，來，來，來上學；去，去，去，去遊戲。」除了認識幾個漢字和感到難寫外，沒有絲毫的童趣可言。而且當時所謂閱讀，就是讀這些教科書。到了民國四十八年師範畢業，被分派到國姓鄉福龜國小任教，國語課還是只有教國語課本，所謂延伸閱讀、參考讀物，仍然是一片空白。但是為了提升學生的語文能力，滿足學生的閱讀欲望，特別請在中原國小任教的家兄，把六年級畢業生讀過的一些不用的書，如《新學友》、《東方少年》、《一千零一夜》、《阿拉丁神燈》、《牛伯伯打游擊》……等捐獻出來，再轉給學生閱讀，雖然是舊書，他們也讀得津津有味。後來自己也一直從事語文教育工作，曾費心想如何來幫助學生和社會，帶動閱讀風氣，於是把四、五十年來自己所購置的圖書，成立九峯書院，提供給需要書的人來閱讀，但因限於人力，一直沒能發揮效用，隨著日月流逝，工

作還是無法進展，常有時不我予的感嘆。

後來認識了在旭光高中任教的陳一誠老師，他在彰師大國文所寫的碩士論文是明代〈李贄「童心說」對國中國文教材編選的啟示〉，讀了以後很感動，他自己真的是童心未泯，發願要將所學為閱讀做些貢獻，起初由南投縣的閱讀活動做起，結合一些國中、小熱心閱讀教育的老師一起打拼，沒想到反應異常良好。那時正好九二一地震，中部受創嚴重，震災基金會在硬體部分復原就緒後，當時執行長謝志誠教授提出「書本循環共讀」、「活動書庫」、「書箱傳送到校服務」的構想，並願意提撥一定金額，支援成立閱讀基金會。如此機緣難逢，但還是欠東風，需有人登高一呼，一誠師想到熱心公益的美律公司廖祿立董事長，決定冒昧去拜訪他，提出這一個想法，意外地很快就得到他答應幫忙，並寫信給他企業界的朋友，由於廖董事長待人熱誠，不到二個月，就募齊了所需要的資金。「台灣閱讀文化基金會」終於誕生了，廖祿立董事長、謝志誠教授、陳一誠老師三位功不可沒。

「台灣閱讀文化基金會」成立後，接著大工程便是如何全面推展閱讀活動，書從零到現在七十幾萬冊，書箱從一箱增加到現在數萬箱，書庫從首座設在南投虎山國小，到現在超過三百座，十多年來會有如此的成效，變不能為可能，就如本書作者所說：「是由許許多多默默奉獻愛心、金錢、勞力的人所造就的，他們是企業家、社會企業實踐者、政治或教育文化界的名人，但更多的是沒沒無聞的人，學校的老師、替代役男、圖書館員、無給職的志工，還有協助搬運書箱的物流司機，若真要說『蝴蝶效應』，這群因為愛而支持著『愛的書庫』運作的人，應該是那對蝴蝶翅膀，才能一揮動就改變了台灣學子的閱讀教育。」陳麗鳳小姐以記者敏銳的眼光，樸實明快的手筆，採訪了「台灣閱讀文化基金會」十多年成長過程中，許多感人的故事，由於他們熱情無私的奉獻，改變了台灣閱讀教育的生態，豐富了學生的心靈，讓閱讀風氣真的能遍地開花。

「十年樹木，百年樹人；書庫百座，愛心百顆」，「共讀分享，智慧循環」，這是「台灣閱讀文化基金會」推廣閱讀的基本理念。廖董事長曾說：「要從根本厚植台灣實力，關鍵就是閱讀。」所以「愛的書庫」是用「愛與希望」來推展「群體共讀」好書，藉以開發每個人的天賦和良知，然後化成具體的行動，貢獻給這塊土地，「為社會帶來更多光亮，共同營造更美好的台灣」。目前還有一些具體的計畫在推動，如設立「數位愛的書庫」、籌備「兒童圖書館」、在地清寒學童課後照顧服務與多元閱讀資源等，這些都是千秋閱讀的大事業，從培養學生閱讀的習慣，到學生都能自發、自動閱讀，人人手不釋卷，讓書香滿社會，這是我們閱讀教育的終極理想。

很多因緣際會，成就了「愛的書庫」，分享了有情大眾，好文章可潤澤人的身心，要美化社會，先要美化人心，細讀本書真人真事的故事，不但可以了解「愛的書庫」成長的痕跡，而且多年來，為推廣閱讀無私奉獻過的人，不知有多少，因限於篇幅，本書所述只是少數代表而已。他們都是平凡中的不平凡人物，不覺令心嚮往之。

成為一個點燈的人

拓凱實業股份有限公司董事長、台灣閱讀文化基金會董事　沈文振

經營企業近四十載，常有人問我「在工作之外，還能如何自我提升呢？」我的答案很簡單，對我而言，就是擔任慈濟志工和閱讀。

創業初期，我加入慈濟，多年來從事志工服務，隨志工團參與海外賑災，也創辦拓凱教育基金會邀請企業同仁一起為社會付出，當體會無所求付出之後，發現生命更有價值。而和許多愛書人一樣，閱讀是我日常最大的興趣，閱讀讓人思考、意志、判斷更為清明，也涵養了我生命存在的意義及志業經營的價值。

慈濟在九二一震災後協助校園硬體重建，而「愛的書庫」同樣是在九二一之後，由校園發起共讀討論好書，是心靈重建的希望工程。「愛的書庫」名字取得好，如字面含意，是一個匯聚眾多「愛心」來推動閱讀的公益單位。這兩者都有一群有心有願又有力的志工，大家竭盡心力，真誠付出，展現出眾力匯集和社會價值，讓善的效應如漣漪般

擴大。

很榮幸在廖祿立董事長的邀請下，擔任台灣閱讀文化基金會董事一職，多次參與「愛的書庫」閱讀推廣活動，在台灣各地感受到每一份善意在「愛的書庫」裡交會，眾力匯集形成更大的能量，持續在各鄉鎮扎根。這本書裡每個人物的故事，都擁有手心向下、不求回報的關懷與素養，成為社會中一個點燈的人、提燈的人。願這本書所呈現的溫暖與感動，啟發更多人同行，照亮台灣未來的光明與希望。

真台灣人的故事

國立清華大學教育與學習科技學系教授、台灣閱讀文化基金會顧問　柯華葳

那天深夜，似夢還真，聽到地底的聲響，半醒中，房子晃動得厲害，耳邊有驚恐的人聲。地震，大地震！匆匆下樓，只見書架上的書散在地上。想到北部的家人，報個平安吧，然，通訊中斷。空地上的人聲漸漸散去，好像沒事了，再睡吧，還沒天亮呢！清晨母親電話來了，問，有事嗎？沒有。你們呢？斷水斷電，聽說中部很嚴重。放下電話，空氣中盤旋著一股非常不安的氣氛。

七點多，一如往常，走在校園裡，花草樹木似乎都無恙。打開辦公室大門，愣住了，三面牆的書櫃全倒，無一倖免，一地的東西，時鐘也掉落停止不動。書桌、檯燈被倒塌的書櫃擠壓彎曲變形，進不去平時熟悉的辦公室，這怎麼得了？不得了的事逐漸逐漸在台灣各地傳出來，這是國難級的地震。

這個地震，後稱九二一地震，是許多台灣人親身經歷最大的災難，房屋倒塌，道路

裂開、橋樑斷折、死傷多人。到現在，好些朋友地一搖、屋一震，恐懼依然浮現，心裡的陰影還在。

雖有許多的倒塌，許多的破壞以及許多的傷心，九二一中沒有倒的是災區的教師與台灣人群策群力的智慧與愛心。「愛的書庫」就在這樣的條件下誕生了。

毀損的校舍與設備，政府與民間雙管齊下，重建、重購，只是教材、圖書呢？災區教師有切身之痛，想方設法讓學生在臨時搭建的組合屋教室裡繼續上課。一個人想教材想破頭，幾位老師組成教學研究會，顧及災區狀況、檢視學生學習方式與學習成效，共同備課，一盞燈泡亮了起來！學生共讀如何？可行！熱血教師一起討論、挑書，設計學習單，掏腰包買書。接下來的事，都記載在這本書上了。

這是真台灣人的故事，一個自發、互動、共好的故事。沒有明星級的人物，先是幾位老師一起，接著說服圈外人成一組人，又變成一群人，都相信閱讀對孩子是重要的，兜在一起，義無反顧，做到現在。

學生要讀不能沒有書，是很根本的理念。然，一個簡單的理念落實，有許多工作，甚至是沒想到的工作要做。只說搬運書籍，很多搬家公司都敬謝不敏，即使加價也不情願。而書箱搬來搬去，堅固嗎？還有教師推動班級共讀的意願和熱誠，也不是說推動就到位的事。每件事能成，靠的是智慧循環，眾「智」成城，連「愛的書庫」這一名稱也是一點一滴累積出來的。對「愛的書庫」參與者來說，對的事，就去做，有問題，想辦法解決，繼續再做。例如書中這位閱讀替代役男，看到學生借閱單上有單一化現象，開始設計櫃位，使不同類別的書籍有機會出現在圖書室門口，被學生關照到。其實「愛的書庫」不僅關乎學生閱讀，受益者是所有參與「愛的書庫」的人。新竹物流的司機先生們為了學生穿戴整齊，成為旗幟鮮明的送書人，學生尊他們為另類老師。學生也在教師引導下，捐書回饋「愛的書庫」。

誠如基金會廖祿立董事長說的，改變力量在民間，這力量也改變了民間。這是「愛的書庫」，愛的故事。

推薦序

人生從此不一樣

國立中央大學認知神經科學研究所教授、台灣閱讀文化基金會顧問　洪　蘭

人類的說話是個本能，閱讀卻是個習慣。很多人不了解閱讀的奇妙，其實我們大腦中有語言中心，卻沒有閱讀中心，因此有六%的孩子無法像常人一樣習得閱讀，失去了享受人類最高智慧結晶的樂趣。我們能閱讀者常忽略了這個天賦的能力，而沒有每天感恩自己眼睛睜開便可以閱讀的福賜。

人要能閱讀須好幾個重要的大腦部位通力合作才有可能，這也是我們跟黑猩猩在基因上雖然只有一．五%不同（我們與牠們有九八．五%基因相同），我們現在享受著這麼好的文明，而牠們還在外面餐風露宿的覓食的原因。文字的傳承和閱讀的能力使我們可以享受祖先的智慧，這才使人類的文明突飛猛進，擺脫了每一代都要重新發明輪子的宿命（輪子是人類史上最偉大的發明之一）。

最近的閱讀研究更發現親子閱讀對孩子的社交能力和情緒智商（EQ）有很大的幫

助：有閱讀給孩子聽的父母，比較不需要動用到打罵的管教方式，孩子自然聽話，有教養。這正是古人所謂「講別人的故事，教自己的孩子」的方法。中國古代的忠孝節義倫理道德觀念便是這樣流傳下來，深深影響每一個老百姓忠君愛國的思想。

這個效應我們在「愛的書庫」活動上看到了，凡是有參加「愛的書庫」活動，有看書的孩子，他們走出來跟別校的孩子不一樣。閱讀是改變孩子氣質與內涵的潛移默化歷程。

台灣的孩子有這麼多好書可以讀，有這麼多志工貢獻時間心力在使他們有書看，真是太幸福了。「腹有詩書氣自華」，有閱讀的孩子人生從此不一樣！

推薦序

改變孩子的命運

前農委會主委、台灣閱讀文化基金會董事　彭作奎

九二一大地震時，我擔任農委會主任委員。民國八十八年九月二十日深夜，準備好第二天會議的內容要點，習慣晚睡的我，經過一天的工作，也不由得感到有些疲倦。電燈倏地熄滅，忽然窗外一陣風嘯疾忽而過，接著已經自座位站起的我，感到身子不能自主地傾倒向左，又傾向右，書架上的書如骨牌趴趴倒下……。

地震！

我本能的扶著牆往房門方向走去。這是民國八十八年九月二十一日凌晨一點四十七分，當台灣大部分民眾好夢正酣的時候，一陣天搖地動將台北、台中、南投許多高樓巨廈以及山邊的民房一一震垮，也搖碎了許多人對未來的夢。這是台灣地區百年來最嚴重的天災——芮氏七點三級強烈地震。

當然，重建的工作是千頭萬緒的，政府與民間同心協力的緊密合作，也是長長久久

的，須在災後的共識上取得一致的腳步，一致的方向，才能在籌畫與推動的進行中事半功倍。地震，奪去了太多的生命財產；地震，也給予我們慘痛的反省機會，我們深刻的瞭解台灣地理環境與建築結構，重建工作更要「順天應人」，重視環境生態的永續發展，與受災戶居民的教育關懷與心靈輔導。

當年我數十次進入災區訪查，目睹農村殘破、水土崩塌外，九二一大地震造成中部地區近二分之一的校舍倒塌或嚴重損毀，中小學遭到損壞者共計六五六所，約佔全國中小學總數的五分之一。所幸九二一大地震發生在凌晨，校舍空無一人，校舍倒塌並未引致任何師生傷亡。屬於重災區的南投，經過幾年校舍重建好後，一群中小學教師開始推動教育關懷、學生課輔，以及重建區的心靈輔導工作。

「愛的書庫」是在一群以陳一誠老師為首的熱心老師奔波下，得到企業家廖祿立董事長、吳輝煌總經理的資助，於民國九十四年四月在南投縣虎山國小設立第一座「愛的書庫」。以「共讀分享，智慧循環」的理念，培養國人具有多元價值、相互尊重、富而好禮、愉悅祥和的公民社會。自九十四年成立首座「愛的書庫」以來，一座又一座「愛的書庫」在各鄉鎮扎根。

身處二十一世紀的知識社會，閱讀力是決定個人競爭力的關鍵核心。民國九十五年因重建會任務結束，由美律實業公司董事長廖祿立先生邀集企業界及學術界成立「財團法人台灣閱讀文化基金會」，繼續推動「愛的書庫」，培養學生閱讀力，拓展孩子的視野，改變孩子的命運。

個人自第一屆董事會成立即受邀擔任董事，深感榮幸！更高興看到「愛的書庫」在全台已經超過了三百座，全國已有八六％國小及四七％國中學校運用過書庫資源，且上萬個書箱周轉使用效率年年提升，發揮最大效益。假如沒有各級政府、各個學校、老師與社會力量的支持，當無法克盡其功。

值此九二一大地震二十周年的此刻，一本記載與描述一群默默深耕校園閱讀，建立書香社會英雄們事蹟的新書即將出版，當樂為作序；更希望台灣推廣閱讀的工程，能透過文字，超越時間和空間的限制，獲取智慧，在潛移默化當中深植社會與人心，建立「腹有詩書氣自華」的個人氣質，與富而好禮的書香社會。

多多益善：閱讀促進身心健康

中央研究院院士、台灣閱讀文化基金會董事　曾志朗

細數歷史上，人類文明進展的重大事件，無庸置疑，文字出現使得寫作和閱讀成為人類相互交流的工具，打破了口語交談的時空限制，不僅擴大了知識的廣度，也加深了資訊本質的深度。前者成就了多元多樣的知識體系，後者改變了思維的方式，重視起、承、轉、合的篇章語法建構，更強調不同概念之間的階層性垂直連結。這樣建立起來的智慧架構，就會使語言存在腦裡的知識充滿彈性，而不是故步自封地把新建的知識鎖在原來的定義上。知識經過仿、借、存／取、轉、聯的進化，就可以觸類旁通，舉一反三，提升解決問題的能力。

深度的意見交流，在文字出現之後，變得更精銳，因為文字不像口語，出口就消逝了。閱讀文章，則可以一再反覆的省思和鑑賞、批評、反駁和修正，使概念的內涵更為精緻。人類的心智活動更為活潑，也增進了彈性、創新和發明，成為社會的常態行為，

從閱讀中吸收別人經驗，可以使自己的生活更為安逸，若陷入困境，就得以從「他山之石，可以攻錯」中突圍。人們的眼界也更為遼闊，需要解決的問題，層次不停的提高，寫作者和閱讀者共同創造更多的知識，而漫延的知識，又促進更廣泛的應用，塑造了現今的「知識經濟社會」，閱讀能力的養成，就變成「知識落差」的關鍵因素。

知識落差的結果就是經濟落差，而經濟落差就導致生命落差。綜觀世界各地，閱讀教育做得好的國家，人民的年平均收入在三萬美金以上，而缺乏閱讀教育的國家，年平均收入則不到五千美金，甚至低於五百美金。這當然意含著生活條件（醫療、交通、社會安全、教育）的低落，不足以維持健康的生命。其結果就是人民平均壽命在經濟富裕的國家超過八十歲，而在貧窮國家，人民的平均壽命頂多在五十歲左右，相差的三十，不只是數學的多寡，這三十年的差距代表著人道的失落。所以說，普遍提升閱讀能力，是創新文明的動力，而為貧困地區健全閱讀的能力，則是實踐人道主義的途徑！

然而，推動閱讀並不是那麼容易的一件事，很多地區的不同族群，不一定有共同的口頭語言，且文字的表音和表意方式都不同，甚至只有口語，但從來沒有文字的表達方式。台灣原住民的多種語言，從來沒有文字，所以閱讀是外來文化，因此主流社會的閱讀成功，往往是原有語言文化的消失。這個非常值得思索的困境，卻是人類文化學者的難題！

此外，文字的出現和被廣泛使用的歷史，才不過五千年，和口頭語言五十萬年的演化歷史，實在是微不足道。這也意味著口頭語言的習得已經是生物體的一部分，但文字和閱讀的學習，仍然是需要腦部各特定功能的迴路整合和體系重建。換句話說，學習閱讀，會導致腦神經的重組，而長期閱讀會強化這些神經迴路的運作。這些研究結果，在我的實驗室和世界各地重要實驗室的研究，都一再被證實。在比對健康或衰弱（Frail）的高齡人的腦和認知活動，閱讀也確定是主要的關鍵因素！

台灣閱讀文化基金會長期推動閱讀，「愛的書庫」遍布全台各鄉鎮國中和國小的學校裡。這些閱讀推廣活動，不但直接對學童有正面的影響，間接也會讓社區的民眾受益。如果再讓大家知道和瞭解閱讀對腦部和心的健康都有很大幫助，那健全書香社會，何樂而不為呢？

推薦序

轉角遇見感動

財團法人高等教育評鑑中心基金會董事長、台灣閱讀文化基金會董事　黃榮村

「台灣閱讀文化基金會」是由一向熱心公益的美律公司廖祿立董事長召集，結合中部等地區好幾位熱心的企業主與教授、老師出錢出力，新竹物流也全力支援，司機們絡繹於途，負責在全國各地配送學校之間頻繁交換的大量書箱。經過十幾年的努力，建立了超過三百座「愛的書庫」，每座書庫約五十箱新書，在縣市政府協助下，由學校承接「愛的書庫」運作流通，而且輪流在全國交換經過評選廣受學生喜愛的不同圖書。我兒子以紀念他阿嬤的名義，也曾捐過一座設立在台東縣都蘭國中的書庫。

這個成就斐然的基金會，來自一個成功的構想與實踐，始自「九二一震災重建基金會」殷琪董事長與執行長謝志誠教授的發想，在陳一誠等幾位在地老師合作下，由基金會挹注先在九二一災區試行，後來經過謝志誠教授的居間鼓吹，由廖祿立董事長在二〇〇六年接手負責「台灣閱讀文化基金會」，至今已歷十三年。

今年（二〇一九年）是九二一震後二十年，當時台灣全民關心而且投入震災善後，在廣大災區捲起一股向上的力量，行走災區，所見所聞，令人感動的故事與人物，可說彎一個角落就會碰到，這些感人事蹟對災民的身心靈重建，帶來神奇的恢復與提升效果。現在的「台灣閱讀文化基金會」從九二一震後一路走過來，大家平時低調做事，遇有需要廣邀捐獻時，則敲鑼打鼓做善事，團結力量大！看來當年九二一的正面激勵元素都留傳了下來，大家群起效法，將集體做公益的善心展現得淋漓盡致，令人振奮！

推薦序

推動閱讀的典範

環隆科技股份有限公司董事長、台灣閱讀文化基金會董事　歐正明

我出生在台中縣神岡鄉圳前村的農家，父母老年得子，從小備受寵愛，即使在當年物質缺乏的年代，兒時仍充滿幸福快樂的記憶。小學時期除了課本外，幾乎沒有課外讀物，到高年級時才有家中較富有的同學帶來當年流行的兒童讀物《學友雜誌》及《東方少年》。除了先要用心的建立良好的友誼關係，更要耐心的等待，等輪到自己借到時，經常已是過期很久的雜誌，但對我而言仍是珍貴的寶物。

小學畢業考上台中一中，台中一中的圖書館藏書及報章雜誌都很豐富，學校的自由學風更號稱頗有北大之風。當年被認為是黨外雜誌的《公論報》（發行人：李萬居）及《自由中國》（發行人：胡適），還有香港出版的《香港日報》及《星島日報》，這些都是其他中學看不到的。對一個剛上初中的學生而言，確實是大開眼界，因而在下課或自修課，我都往圖書館跑。六年的台中一中生涯，養成我廣泛多元的閱讀習慣。

二〇〇七年六月，我的小學同學王英三，曾擔任圳堵國小的教師，也當過兩屆的神岡鄉長，時任台中縣政府行政處處長職務，有一天他打電話給我，說我們圳前村現在屬於圳堵國小轄區，今年新校舍育英樓即將落成，但圖書館的設備及裝潢尚缺經費，是否能由我來捐助？我是家鄉子弟，我的侄子輩都在此上學，當然就一口答應，同時又想起最近同在台中工業區的美律實業公司廖祿立董事長正在大力鼓吹「愛的書庫」，於是馬上加碼告訴我的老同學：圳堵國小有了圖書館，更需要增加一些新的書籍，就由環隆科技來捐助一百箱的「愛的書庫」，委託圳堵國小圖書館來管理。陳樂熏校長欣然同意，很高興在閱讀基金會成立之前就先建立這一個因緣，而成為台灣閱讀文化基金會的一份子，更是備感榮幸。

圳堵國小的轄區大都是農業區，現在的農村年輕村民一般是到都市職場上班，業餘才從事農作，普遍是小康之家。圳堵國小是個每年級三班、全校共十八班，學生總數四百二十二名的小學校，而在歷屆校長積極領導、老師認真務實配合下，展現的成績令人佩服：

一、拔河隊創立二十年來，年年榮獲全國比賽前三名，更在二〇一八年協會盃榮獲七連霸。

二、直笛團年年榮獲台中市前三名。

三、二〇一七～二〇一八世界青少年發明展台灣選拔賽榮獲一金二銀八銅七佳作。

四、二〇一八年參加印度世界青少年創客發明展榮獲銅牌獎。

拔河隊成績佳，一般人會認為鄉下人多勞動，身強體壯，常得冠軍也算合理。直笛團也年年得獎，尤其世界青少年發明獎，第一次參加就得獎，一定有它的原因。自二〇〇七年「愛的書庫」設立，十二年來與圳堵國小的合作活動中，學校在推動學生共讀上非常認真，同時也推動社區共讀活動。另外在二〇一一年起，我們支援學校早自習作讀報（《國語日報》）活動至今八年，仍在進行中，因此學校的閱讀活動非常盛行。最重要的是，歷任校長以身作則帶領全校師生參加各種閱讀活動，良好的閱讀習慣不但增廣學員的多元知識，隨著學習力增加，競爭力自然增加，也更能培養團隊合作及積極進取的精神。學校鼓勵各社團對外比賽，淬煉團員功力，熟悉比賽規則，一旦比賽得獎，可激勵團員更加努力，也激勵其他團隊效法，在互相激勵下成績就節節高升。不但不同隊的老師及學生在競爭，甚至連校長也戰戰兢兢，要求自己的成績務必要比前任更好。蔡宗信校長上任第一年就以個人專長為推動世界青少年發明展作準備，第二年就得到印度世界青少年發明展的銅牌獎。

這種良性的競爭循環，造就圳堵國小目前的輝煌成就，這就是閱讀成效的典範。身為贊助者之一，深感榮幸，我也樂於以此文分享給大家。

給孩子一雙隱形的翅膀

國立公共資訊圖書館館長、台灣閱讀文化基金會董事　劉仲成

「愛的書庫」在推動時，本人正擔任南投縣教育處處長，共同響應這項「共讀分享、智慧循環」的志業。尤其南投一直處於資源不足的窘境，但南投的閱讀推廣成效很好，因為在我任內，南投是全國第一個成立「愛的書庫」的縣市，同時也是第一個達到「鄉鎮一書庫」的縣市。「愛的書庫」的成立，對南投及各縣市，都是一雙隱形的翅膀，一個重要的閱讀推手，為台灣帶來一股很大的閱讀能量，我則見證了那一段歷史。

同為「愛的書庫」發起人之一，當時的規劃理念是希望以網絡的方式，先成立一個點，從南投先做，南投若做得好，再由線到面，串聯到鄰近縣市，並逐步擴展至全國，以形成一個閱讀的網絡，讓智慧能量得以循環至全台灣，如果成效良好，自然就會受到各界的重視與支持。如今，「愛的書庫」成效卓著，蔚為風潮，已受到教育部的肯定及各界的響應，也如預期地以網絡的方式，遍地開花到各個鄉鎮。因此，這是一個透過民

間的力量，去影響社會各界，甚至讓政府看到廣大的成效後主動來參與，是一個由民間發起、政府支持、社會共同協力的絕佳典範。

此逢「愛的書庫」新書出版之際，特別對於廖祿立董事長當初願意協助登高一呼，出錢又出力，表達無限的感恩之意。也感謝所有參與協助的民間企業、學校與個人，大家的愛心都已成功地轉變為能量，傳遞至全國各地，謝謝大家給這些孩子們一雙隱形的翅膀。

推薦序

讓愛永續傳承

財團法人武秀蘭教育基金會董事長　劉昇昌

一份因緣、一個際會之下，牽起了財團法人武秀蘭教育基金會共同參與台灣閱讀文化基金會「愛的書庫」設置計畫，一同推廣台灣的閱讀運動。

憶起二〇〇六年第一次接觸到台灣閱讀文化基金會執行長陳一誠老師以及基金會成員的情景，當時是由「愛的書庫」幕後推動計畫人員之一的王俊凱先生（新竹物流前CSR總監）穿針引線，讓我和財團法人武秀蘭教育基金會有了契機一起響應推動設置書庫、認捐書箱，提供給老師及學童們共讀這麼有意義的事情。

和王俊凱是在二〇〇二年就讀政大EMBA時相識的，當時我們是同班同學，他知道我擔任財團法人武秀蘭教育基金會的董事長，也在積極從事對教育活動的補助，因為這樣的緣份，在「愛的書庫」設置計畫推動時，需要更多民間企業或機構參與，王俊凱帶著陳一誠老師來拜訪我，他們將書庫設置計畫、推動閱讀運動、活用書箱在各個書庫流動的理念與我分享，並告訴我希望新北市偏鄉地區的學童也能共享到這樣的資源，因新北市的地幅廣闊，各個鄉鎮市發展不一，較大的城市能享有的資源豐富而多元化，然而在偏鄉城鎮裡這樣的資源往往很匱乏，所以希望能讓「愛的書庫」也遍及到新北市的偏鄉城鎮，以達到一鄉鎮區一書庫的目標。台灣閱讀文化基金會找尋可以協助設置書庫的國中小學，武秀蘭教育基金會則一同響應認捐書箱，讓新北市偏遠鄉鎮的國中小學師生可以共享書箱資源，這麼富有教育意義的事情，我當然就一口答應了。

從二〇〇六年開始，武秀蘭教育基金會認捐書箱也持續了十三個年頭，對於「愛的書庫」能這樣成長茁壯，我感到非常的高興及欣慰，感謝一群在背後默默耕耘的老師、工作人員、志工以及善心企業與機構，也期許這樣富有教育意義的事業，可以持續經營下一個十年，下一個二十年，讓愛永續傳承。

最後希望藉由推薦這本書，讓更多的人可以更加了解「愛的書庫」成立的過程及運作的情形，也希望讓正在閱讀這本書的你，能將推動閱讀的精神延續到下一代，延續到未來。

推薦序

多線道的人生

環隆電氣暨環鴻科技總經理　魏鎮炎

人生是單行道，短短數十年，如果每件事都靠自己去體驗，那麼所獲必然有限。但是透過閱讀，則可以讓人生拓展為多線道，在同一個時段裡，獲得更多寶貴的經驗，過得更豐富。環隆電氣有幸從一開始，就參與了「愛的書庫」這項推廣閱讀的創舉。

二〇〇五年經由台中美律實業廖祿立董事長的介紹，環電捐贈了二十萬元，幫助一群有熱忱有理想的南投縣中小學教師，成立「閱讀推廣中心」。

隔年，旭光國中陳一誠老師來我們公司拜訪，闡述「愛的書庫」的宗旨和做法，令人深受感動。陳老師並說明「九二一震災重建基金會」即將結束階段性任務，屆時必須仰賴民間力量，才有辦法讓「愛的書庫」繼續運作下去，於是我們響應廖祿立董事長以及謝志誠教授的號召，捐贈一百萬元成為「台灣閱讀文化基金會」的創會捐助人之一。

二〇〇七年我們認捐一百箱書，給全台第一座「愛的書庫」——位於南投縣草屯鎮的虎山國小。當時我們還將另外兩項公益活動結合起來：

其一，將我們贊助的南投縣國小繪畫比賽得獎的作品裱在書箱外面，隨著書籍的借閱流傳出去。

其二，我們邀請各校借閱率第一名的同學，到台中中山堂觀賞雲門舞集《九歌》，並和林懷民先生合影。聽說後來還有小學生寫卡片給林懷民，帶給林大師無比的驚喜。

如今「愛的書庫」無論是規模或知名度，雖然都已經不需要我們多說一言，但其無私、以人為本的初衷，並沒有絲毫改變，這一點誠屬難能可貴。而一直到現在，每年或多或少，我們也都繼續支持不同的學校／書庫，即便是二〇〇九年發生金融海嘯也不例外。

本以為我們對「愛的書庫」知之甚詳，沒想到看完《自由時報》記者陳鳳麗小姐的人物採訪故事之後，才了解到我們所知道、所參與的，其實只是很小的一部分！陳鳳麗小姐筆調流暢，每一則故事都引人入勝，可以按順序看，也可以挑著看。而且如她所說，聽故事，放輕鬆，什麼姿勢都可以喔！

祝福語

從無到有，從偏鄉、離島到都會區，從中文、英文到新住民書庫，從紙本到數位書庫，從成立書庫、導讀老師分享研習到發現天賦研習活動，我們看到在廖祿立董事長的領導、董事成員和各界熱心人士的支持參與，加上執行團隊的努力與付出，會務不斷的成長。第一個十年有了良好的基礎，我們非常期盼，也相信未來無數個十年，基金會將永續地發展與茁壯。

——前環隆電氣股份有限公司總經理、台灣閱讀文化基金會董事
吳輝煌

愛的書庫透過「共讀分享，智慧循環」傳遞出台灣一個個未來的希望。

——新聯成投資股份有限公司董事長、台灣閱讀文化基金會董事
卓聖崇

自序

二〇一六年二月六日清晨，南台灣發生規模六．六的大地震，其中台南市永康區的維冠金龍大樓倒塌，造成一一四人罹難最受矚目，愛心滿溢的台灣人，在短時間內就捐出了三十五億元協助台南市政府展開重建工作。

媒體在提到南台大地震的規模、災情，或是捐款金額、重建方式……，就會與一九九九年的九二一大地震相比較，而當年九二一大地震發生後，政府加上民間的力量，倒塌的房子、校舍重建了，當年進入重建區做心靈輔導、學生課輔、教育關懷、地方產業輔導的團隊，在完成階段性任務後也功成身退，重建區似乎回到常軌，恢復平靜，但卻有一股力量慢慢在集結，這股力量在二〇〇五年讓「愛的書庫」誕生，十幾年來默默地運作、壯大，從一座擴展到三百多座，從只在震災重建區的學校設置，到台灣本島外加三大三小離島都有，很多老師以為「愛的書庫」是政府所設，好多家長以為孩子帶回家看的書，就是學校花錢買的，殊不知這是民間組織，用的是民間的捐款，而負責三百多座「愛的書庫」的台灣閱讀文化基金會，沒有激烈的革命，就改變了台灣的閱讀教育。

曾有媒體形容「愛的書庫」猶如蝴蝶效應，不起眼的動作卻造成極大的改變，但從「愛的書庫」醞釀期一路到遍地開花，十幾年來從一座到三百多座，從一冊書到七十三萬冊書，絕不是一個小小的動作就可造成，而是由許許多多默默奉獻愛心、金錢、勞力的人所造就的，他們是企業家、社會企業實踐者、政治或教育文化界的名人，但更多的是沒沒無聞的人，學校的老師、替代役男、圖書館員、無給職的志工，還有協助搬運書箱的物流司機，若真要說「蝴蝶效應」，這群因為愛而支持著「愛的書庫」運作的人，應該是那對蝴蝶翅膀，才能一揮動就改變了台灣學子的閱讀教育。

「愛的書庫」成立至今已超過十年，台灣閱讀文化基金會執行長陳一誠希望能有一本記錄「愛的書庫」十年成長痕跡的書，他對我說：「妳是一路看著『愛的書庫』長大的人，就請妳來幫忙記錄吧！」

為了「十年的成長痕跡」呈現的方式，陳執行長跟我在多次「聊天式」的開會中，不斷地推倒、重來，最後確定了以「人」為主角的方向。我們都認同「台灣人善良，心中充滿愛」，奉獻金錢的是「人」，而將愛化為力量的也是「人」，所以我們決定告訴大家「這些人」的故事。

在採訪這些人的過程中，我的內心充滿感動，不只他們為了下一代而無私的奉獻，有的甚至用生命去愛。台中市烏日區九德國小的陳靜媚老師，即使在生命走向盡頭之前仍持續付出，採訪她的那一天，其實她才剛接受癌症治療沒有很久，但她精神奕奕，總是笑臉盈盈，她說「有愛的書庫讓學生免費看很多很多書，還幫我們免費運送，我們也應該回饋一下」，所以她帶著學生募發票、園遊會收入和畢業班留下的班費，買書箱捐給「愛的書庫」，最後還把藏書全部捐給九德國小，這份愛讓人動容，想到她就想到「鞠躬盡瘁，死而後已」這句話。

當然這些人的故事，還有出錢出力卻表現得「雲淡風輕」的大人物，像台灣閱讀文化基金會董事長廖祿立先生、前九二一震災重建基金會執行長謝志誠先生，他們都是讓「愛的書庫」從無到有、穩健營運的大功臣，心中有對這塊土地濃烈的愛和使命感，但是他們不居功，行事低調。當然也有在公部門認真推動閱讀，願意打破窠臼、牽線讓政府也參與「愛的書庫」的公務員武曉霞小姐；以及每年投注上千萬元、公益運送書箱的新竹物流公司。

這本書沒有偉大的宗旨，就是來說故事而已。既然是聽故事，就不需要正襟危坐，輕鬆地、慵懶地或坐或站或臥皆行！那麼，現在姿勢喬好了嗎？喬好的話，我們就開始了！

智慧循環．愛與分享
——「愛的書庫」源起

「愛的書庫」在二〇〇五年四月成立迄今，十多年的時間，從第一座、第二座、到現在的第三〇三座，不僅有上億經費的愛心捐款挹注，也號召幾萬名老師熱誠參與，更重要的是，千千萬萬名莘莘學子因此得以閱讀到一本又一本的好書。

這些日子以來，無論是書庫成立揭牌或是閱讀推廣研習活動，第一次聽到「愛的書庫」運作內容的人，都會好奇詢問，當初是什麼樣的情況成立「愛的書庫」的呢？

九二一地震發生後，屬於重災區的南投縣，有一群中小學教師，他們看到校舍蓋好了，教室桌椅、教學設備更新了，可是軟體的建設、上課使用的教科書與圖書館閱讀書籍，並沒有像硬體建設般進行更新或創新。這群老師開始思索，如何利用「團隊合作」的力量，對教材教法進行災後的「重生」。首先，老師們分工合作，有人選書，有人編學習單，有人將實際教學的歷程整理成手冊。接著，全班學生閱讀相同的一本書，透過分享討論、腦力激盪，師生共同進行深究與鑑賞。

這種「合作」的模式，必須有經費的支持才能推廣，當時成員中的二位老師，在大學時期參與台中市傑人會的傑青社團，認識當時擔任會長的廖祿立先生，也是美律實業股份有限公司的董事長。由於廖董事長樂善好施，重視文化教育，經過拜訪、說明，廖董事長立即允諾贊助二十萬元，並主動寫信給南投縣最大在地企業——環隆電氣股份有限公司，當時的總經理吳輝煌先生，也很認同這項活動，同樣贊助二十萬元。

有四十萬元做基礎，南投縣政府教育處劉仲成處長與這群老師們開始規劃成立「閱讀推廣中心」，這時九二一震災重建基金會的執行長、台大教授謝志誠先生，知道這股發自教師主動推展閱讀的活動後說：「當你手上有資源，看到一群人想做這件事，怎麼能無動於衷？」立即以九二一基金會的力量，投注經費，購置好書，並規劃設計網站平台，進行「智慧循環．愛與分享」的運作方式。當時一位媒體記者在報紙上寫道：用愛心捐款買的書集中在一座倉庫，需要的人就去借，用完後再換其他人使用，使資源

愛的書庫最初用的白色書箱，每箱裝 40 冊書

教學現場教師協助審閱書庫書籍

發揮最大效益，真是個創新作法。

因為這段報導讓謝志誠教授產生靈感，「愛的書庫」名稱正式誕生。接下來，就像一呼百諾般，各縣市的老師紛紛參與「共讀」的閱讀活動，從台灣的地理中心──南投縣，向各縣市擴展，只是九二一基金會因為災後重建任務完成，無法再繼續提供經費，廖祿立董事長基於對社會的責任，認為「這件事真的能夠影響台灣，因為這是很根本的東西。」因此一肩扛起重責大任，在他的號召下，中部大學校長、學者以及企業界的菁英，共同成立台灣閱讀文化基金會，永續支持「愛的書庫」。

有了台灣閱讀文化基金會作為核心和後盾，「愛的書庫」繼續蓬勃發展，

小朋友們沉浸在閱讀世界裡，愛的書庫改變了台灣的閱讀教育

尤其教育部和各縣市政府以公部門的力量，或是撥款、或是直接購書放入，再加上社會各界的捐款，豐富了「愛的書庫」，也豐富了學生的心靈；新竹物流更是結合教育部的補助款以公益贊助方式，借還書全部免費載送，讓許多老師感受到社會各界對「教師專業」的支持與協助。

「愛的書庫」能夠在各縣市鄉鎮成立、扎根，實在要感謝許許多多的人、事、物，就像陳之藩先生說：「要感謝的人太多，只好感謝老天爺。」除了感謝，更要努力為這塊孕育我們的土地盡一己之力，使這塊土地上的子子孫孫，一代比一代更優秀、傑出。

書本循環與虛擬書庫概念的發想者

這位重建工作最大的推手，也是「愛的書庫」從無到有的催生者，二○○四年，如果當時在推動班級共讀、提升震災區閱讀能力的陳一誠老師沒有遇到他，那麼今天或許沒有設置逾三百座、全台滿地開花的「愛的書庫」。「理性、睿智、果決」的謝志誠教授，與「愛的書庫」的情緣也有著感性的一面，一切要從閱讀興趣的開啟說起……

前九二一震災基金會執行長　謝志誠

台大退休教授謝志誠給人的印象是多面也多變的，因為不同的身分，對他的印象便不同，對台大學生而言，他是該校生物產業機電工程系的教授；對關心台南七股生態的人來說，他是堅持到底的社運份子，曾長期與前台南縣長（今台南市）蘇煥智，為黑面琵鷺生態棲息地請命，力阻高污染和高耗能的工業開發案，並著有《黑面琵鷺來過冬》、《黑面琵鷺的鄉愁》等生態保育繪本。

愛投稿的文藝少年

除了是知性的大學教授、有理想的社運份子之外，謝志誠更在台灣百年最大的九二一震災後，擔任九二一震災重建基金會執行長，運用全台民眾愛心捐款，協助受災民眾重建家園、重新站起來。他推動的「臨門方案」，讓震倒的集合式住宅（大樓）得以重建，也讓一無所有的受災戶能向基金會貸款。對於震災重建區的地方政府、學校或社區而言，他更像是「及時雨」，總能在困難時，適時地伸出援手，當時有地方人士曾稱他是「震災重建區的土地公」，守護重建區的民眾。

謝志誠教授是台南人，父親為了賺錢養家到台北工作，因為父親不常在家，他形容自己和父親數十年說的話，「有時比跟好朋友一天說的話還少」，但他卻說「自己能對數字概念清楚，懂得靠自己賺錢」及「喜歡寫作、愛投稿」，都是深受父親的影響。

「會寫作投稿，是因為想賺零用錢！」謝志誠回憶起童年往事，忍不住笑了起來。他說，自己念國小的時候，父親是掬水軒業務，在台北上班，在當時普遍都窮困的年代裡，曾經厚著臉皮寫信跟爸爸要零用錢，但父親寄回家的是一個包裹，裡面是父親當時公司所生產的餅乾，還有幾塊製作冬瓜露的原料「冬瓜糖」，原來老爸要他自力更生，靠賣餅乾和自己煮冬瓜露來賺錢。

「再小的要求都是一種磨練，這是父親給我的深刻體會！」謝志誠也說，因為做小生意，對一毛、五角、一元等數字觀念清楚，算錯了就得虧本，而這種自力更生的訓練，以及對數字觀念的培養，使謝志誠小學的珠算學得特別好，國小六年級珠算程度就是一級，奠定了大學念理工的基礎，同時也意外地開始他少年時代投稿的生活。

閱讀在生命中扮演的角色

「國中時代常很認真地想笑話，並把它變成文字，投稿到《讀者文摘》，希望能賺到稿費當零用錢！」謝志誠透露，小時候看《讀者文摘》，知道寫笑話投稿，若被採用可以拿到稿費，當時只知出版社在香港，卻不知寄信到香港要用航空信封和貼金額較高的郵票，因此「嘔心瀝血」的笑話，都用中式信封貼上郵票寄出，郵票還是在台北工作的父親寫信回家時，方便兒子回信用的，「忘了那是不是國內平信的郵資」、「當時也不知投遞出去的笑話究竟有沒有寄到出版社！」謝志誠說，少年時代只知道「沒有收到稿費，表示稿子沒有被採用」，於是再接再厲，寄了很多笑話文稿，但從未收到過稿費。說完這則少年投稿的往事後，謝志誠忍不住哈哈大笑了起來，他說：「那應該是我最早投稿的文章吧！」

學理工、頭腦清楚，做事、說話都超級理性的謝志誠，其實是個「文藝少年」、「文藝青年」。國中愛看《讀者文摘》，高中起便開始大量讀小說，到了大學時代，從小被父親教導「要錢就得自己賺」，大一便拚了命地接家教，一學期家教可賺數萬元的他，經濟有了餘裕，除了到圖書館借書，也開始花錢買愛看的書，「我看張愛玲、王藍、於梨華的小說，瓊瑤的小說我也沒有漏看過！」「很多小說的名句也深印在心裡，例如於梨華在《又見棕櫚》小說中說的：『包起來的舊衣服已經不能穿了，就不要再打開……』」，謝志誠背誦起這些小說經典名句，彷彿變成了另一個人。

儘管強調「支持設立愛的書庫」與自己「喜愛閱讀」沒有直接關係，但是「文藝少年」、「文藝青年」的往事，說明了閱讀在他生命中扮演過的重要角色。因此在他得知當時擔任旭光國中國文老師的陳一誠，以電子郵件請求支援一群熱心的老師推動「班級共讀」時，要求的只是一小筆購買共讀書籍的贊助經費，於是他加入支持，但後來他卻給了整座的「愛的書庫」。

從「實體」到「虛擬」

提起「愛的書庫」的設立，謝志誠透露，二〇〇四年底，九二一震災區家園重建工作已接近尾聲，而基金會希望能在震災區的學校找尋可以幫忙的著力點，就在思索「該找什麼著力點」時，發現一封輾轉傳來的台灣教師學會寫的 e-mail，該封信件主要是列出一堆可以優惠打折的書單，鼓勵老師和學生購買，可作為寒暑假閱讀的課外書。這封信讓謝志誠眼睛一亮，「對！就是閱讀！」他找到九二一震災重建基金會可在校園著力

陳一誠老師主編的閱讀學習單

的重點，於是主動聯絡了台灣教師學會負責推動閱讀、且與一群老師編寫閱讀學習單的陳一誠老師。

「第一次見到陳一誠老師，就覺得他是個可信任的人，那一刻即決定要支持他所提的閱讀購書計畫！」一向果決的謝志誠，與陳一誠見面後，不到半小時便決定贊助他和多位老師所擬的閱讀購書計畫，而當時陳一誠希望基金會給一筆錢購書，等九二一震災重建基金會依照這群老師開好的書單買好所有書後，就在要捐出的前一天，有小時候做生意經驗的謝志誠，突然有了不一樣

嘉義縣內埔國小「愛的書庫」邀請謝志誠為學校書庫揭牌

的想法。

謝志誠說，學生在寒假讀完這一批書後，若要持續閱讀運動，暑假又得再買新的一批，如此購書經費會是一個無底洞，但若書籍可以「回收」，就可重複使用，因此那個寒假便有了「書箱」與「共讀」的想法，而經過不斷地溝通與討論，在二〇〇五年二月開學前，就達成了成立「書庫」的共識。

「沒想到購置的那批書籍非常搶手！借閱的老師很多！」謝志誠表示，九二一震災重建基金會出錢購置的書籍借閱率很高，所有共讀的書籍，在開學後分別存放於旭光國中（現為縣立旭光高中）、埔里鎮立圖書館和員林國小，三個據點成為實體書庫，堪稱「愛的書庫」的濫觴。

腦力激盪後擦出了新的火花！謝志誠和陳一誠經由多次的討論，很快地書庫就從「實體」想法，演變成「虛擬」概念。謝志誠說，所謂「虛擬書庫」是將書箱分散在不同地方，借閱的老師只要透過網路系統，就能查詢想借的書、書在何處，同時也可以透過網路借閱和還書，因此當時基金會就請專人幫忙設計架設網路，而該網路系統沿用至今。

量的增加與質的提升

謝志誠希望「虛擬書庫」定調在「智慧循環，愛與分享」，由震災重建區學校的老師共同享用，在網路系統完成後，決定正式運作。「那時一直在想要為這個虛擬書庫取什麼名字，後來想到有媒體記者說：『你們設的這種書庫，根本就是愛的書庫嘛』，於是便決定用『愛的書庫』作為名稱。」原來媒體記者也在「愛的書庫」貢獻了一點力量，讓我與有榮焉。

二〇〇五年四月，第一座「愛的書庫」在南投縣草屯鎮虎山國小設立，當時謝志誠已預先設想「萬一經營不下去」、學校不想作為「愛的書庫」據點，或是九二一震災基金會結束後的「退場機制」，因此在第一座成立之前，便有了「撤點」的準備，而且決

謝志誠與林宗男縣長宣布推動 123 閱讀運動

定所有購置的書籍，不列為設置學校財產，經費也不編入學校由學校自行運用，同時也萌生成立專責統籌「愛的書庫」運作的「閱讀基金會」的構想。

「從二〇〇五年到二〇〇九年八月，九二一震災重建基金會熄燈前，基金會共撥了四千四百多萬元經費！」謝志誠指出，這筆經費除了買書等相關費用外，其中一千五百萬元是要挹注在成立「閱讀基金會」的基金。從設立第一座「愛的書庫」，到九二一震災重建基金會階段性任務結束，四年多的時間裡，「愛的書庫」不只在震災重建區設置，更在縣市政府的爭取下，全台十六縣市成立了七十座「愛的書庫」，登記為會員的學校或老師，借閱的書多達二十三萬多本，每一箱書循環借閱十五次之多。

「很開心在第七十一座愛的書庫設立的時候，台灣閱讀文化基金會就成立了！」謝志誠如是說，「感謝美律實業公司董事長廖祿立願意接下基金會的重任！」謝志誠希望閱讀文化基金會可長可久，也認為「成功不必在我」，因此謝絕出任閱讀文化基金會的董事長，也婉拒出任該會的董事。他認為，震災重建基金就是要讓重建工作發揮最大的效用，能看到「愛的書庫」和台灣閱讀文化基金會設立，重建有效運用，且不只有了回應，更「一呼百應」，這樣的成果已經很開心了，毋須再掛名。

眼見「愛的書庫」設立十多年，台灣閱讀文化基金會也走過同樣的歲月，看到「愛的書庫」不只台灣本島每個縣市都設立，且連三大外島三小外島也都有了「愛的書庫」，謝志誠在欣慰之餘，也忍不住提了建議。他說，未來「愛的書庫」不是只追求設立書庫的數量增加，而應該是「質」的提升，並用創新思維去驗收學習成果，例如：以獎勵方式鼓勵師生共同創作，並將優秀的作品出版，相信在閱讀文化基金會的努力，和熱心老師們的集思廣益下，「愛的書庫」一定能再走出更紮實穩健的下一個十年。

失眠一夜而決定承擔的愛書人

說起接任閱讀基金會董事長的過程，除了台灣人愛說的緣分，更和愛閱讀、關心台灣下一代的教育問題有關。在一九九三年十月獲得國家磐石獎後，廖祿立寫了一封信給李總統，強調只有教育才能解決社會問題，信中也提出很多對教育的建言。台灣的教育讓他看不到改變，愛的書庫讓他看到著力點，於是在二〇〇六年四月，他點頭接下創立台灣閱讀文化基金會董事長，至今已超過十三年。

台灣閱讀文化基金會董事長　廖祿立

台灣閱讀文化基金會董事長廖祿立，他所創辦的美律實業公司，是全球第二大的行動電話免持聽筒製造商，與「愛的書庫」結緣甚早。在台灣閱讀文化基金會即將成立之際，他只用了一夜的時間思考，翌日就答應出任基金會的董事長，擔負起每年籌措二千萬元基金的任務。

閱讀是自然又理所當然的事

廖祿立愛閱讀，可說是「家學淵源」，在他的記憶裡，祖父廖承祥的藏書豐富，有很多佛書，包含從日本買進來的佛教大藏經，還有成堆的線裝書，連大部頭的「二十五史」都有。這位在台中西屯擁有大片土地的地主，自我期許高，希望能教化當地農民，常請人來說善書，用講故事的方式，把善知識傳遞給家裡的佃農和附近的農民。他說：「阿公很開明、先進，即使後來建立佛堂，請來說善知識的，並不限佛教的師父，甚至基督教的牧師、天主教的神父都會應邀前來呢！」

廖祿立的阿公認為好的知識是不分宗教、民族，而他的好學與把教育當成自己的責任，都影響了兒孫，廖祿立的父親便在戰後開放大廳讓附近的人來拜佛。而國民政府來台後，陸續實施三七五減租、耕者有其田的政策，他家原本擁有的大片農田漸漸地放領給佃農，廖家就從大地主變成了小地主，甚至廖祿立念台中一中初中部時，連註冊費都繳不出來，還得跟親戚借。

「儘管經濟大不如前，父親仍很重視教育！」廖祿立說，父親延續祖父的作風，戰後與伯父重建佛堂「正覺堂」，為附近民眾開初級識字班、尺牘班（寫信班）、珠算班，全部免費教授，從祖父到父親，不只自己愛讀書，也都以教育為己任。

「在我家讀書是一件很自然的事！」廖祿立的父親在世時，即使年事已高，仍維持每日讀書閱報的習慣，閱讀的書籍範圍廣闊，即使很累了，仍拿放大鏡逐字的閱讀。廖祿立口中的「自然又理所當然的事」，不只「正覺堂」至今還有讀書會，他和家人有讀書會，美律公司也同樣組織了讀書會，而這些都在不知不覺中促成了他成為閱讀運動的推手。

人生的意義在關懷與奉獻

畢業於台中一中、大同工學院的廖祿立，高中畢業第一年沒有考上大學，準備找補習班報名時，他的父親曾告訴他：「若沒辦法讀大學也不必勉強，只要肯努力工作，認真學習，仍可以養家。最重要的是養成不斷讀書、積極上進的習慣，又能負責任地過生活，人生就會有意義。」當時他以為是因家境不好，父親付不出學費才不鼓勵他重考大學。但後來他的兒子念五專，父親仍提醒他受教育是要學會過有意義和負責任的生活，不是去學習生存的知識和技能，要教孩子人生是多面向的，不管經濟、藝術、宗教、環境等都需要有人去關懷和奉獻，若只會賺錢，只過富足生活而沒有精神生活，那是不對的。而在那一刻，才終於體會父親當年不是因為家境不好才沒有大力鼓勵他重考大學，而是有宏觀的教育觀。這番話後來也常在他的腦海浮現，提醒他有能力時就要付出關懷和奉獻。

廖祿立喜歡閱讀、也鼓勵別人閱讀，因此當九二一地震發生後，在南投縣草屯鎮旭光國中任教的陳一誠找上他，告訴他：「想在旭光國中和虎山國小推共讀，但很多學生的家庭因震災經濟不好，無法花錢買書，希望募到經費買書！」他贊助了二十萬元購買書籍，並邀環隆電氣公司也共襄盛舉捐了二十萬元，陳一誠和幾位熱心的老師，就自己設計學習單，帶領學生閱讀。而陳一誠和志同道合的老師在震災重建區推動閱讀的事，二〇〇四年十月底，被當時的九二一震災基金會執行長謝志誠知道了，主動聯絡陳一誠，終於激盪出「愛的書庫」的構想，並在災區陸續成立約二十座「愛的書庫」，結合實體、虛擬模式的書庫。

改變的力量在民間

「愛的書庫」成立後一年多，二〇〇六年四月，謝志誠和陳一誠連袂拜訪廖祿立，告知九二一震災基金會即將結束任務，「愛的書庫」不能因該基金會打烊就斷炊，必須成立財團法人才能永續經營，「雙誠」動之以情，遊說廖董事長接下創立基金會的任務，帶領團隊繼續往下走。「想到每年要籌措二千萬元，真的卻步了！」廖祿立沒有鬆口答應，請兩人讓他考慮一下。

想不到廖祿立的「考慮」只有一夜，隔日就決定承接，關鍵與他得到「國家磐石獎」後給總統的一封信有關，更與他的父親曾提醒他「多面向的關懷與奉獻」有關。他說，一九九三年十月獲得國家磐石獎，當時給李總統寫了一封信，強調只有教育才能解決社會問題，信中也提出很多對教育的建言，李總統雖有回信，表示會交代有關單位研究辦理，但時間過了十三年，台灣的教育看不到改變。謝志誠和陳一誠邀請他出任台灣閱讀文化基金會董事長的那一晚，他突然有了「改變的力量或許在民間」的想法，也想起父親訓勉的主動關懷和奉獻，他決定擔任推動台灣閱讀運動的推手。「民間力量雖小，但一點一滴累積，總會涓滴成河，與其抱怨政府不做，不如自己來做！」廖祿立接下了籌建財團法人化的台灣閱讀文化基金會首任董事長，這一做就超過十年。

認同與回響愈來愈多

原來擔心一年要籌措二千萬元的艱鉅使命無法達成，但基金會現在每年的預算已從原來的二千萬元提高到四千萬元，基金會的董事也從當初的十五位增加到二十一位。而出任董事的人，學界、企業界甚至知名政治人物都有，像前教育部長黃榮村、曾志朗都是董事，曾志朗董事在他擔任政務委員時，曾到基金會來查核，他在參觀並聽完簡報後說了一句話：「你們做這件事，真的對台灣有很大的影響，我也捐十萬元來響應！」廖祿立透露，曾志朗後來卸下政務委員的職務，兩人在飛往歐洲的飛機上巧遇，聊了很多「愛的書庫」的事，當時董事正好要改選，於是邀請曾來擔任董事，想不到他當下爽快答應。

企業界人士也是廖祿立邀請擔任董事的考量方向，一開始邀的都是自己熟悉的朋友，像磐石會的朋友、美律公司的夥伴，隨著「愛的書庫」的知名度愈來愈高，願意加入擔任董事的人也愈多，後來會觀察這些董事，有持續捐款或是對「愛的書庫」有認同的，就繼續邀請擔任，像每年投注近千萬元幫忙送書的新竹物流公司，當然就是董事。

十多年下來，「愛的書庫」在全台各縣市，甚至在六個離島都設立，現已突破三百座，借閱書庫書籍的人數到二〇一九年八月已達五千三百六十九萬人次。認同「愛的書庫」的人愈來愈多，願意出錢出力的人始終沒有間斷。廖祿立表示，每年四千萬元的預算，必須將「愛的書庫」的訊息散播給更多企業界的朋友，甚至會請基金會執行長陳一誠到企業或社團演講，鼓勵他們加入，就這樣捐款便一筆筆地進來。此外，也舉辦音樂會，由企業界的朋友支持，並招待「愛的書庫」的志工一起來聆聽美妙樂章，音樂會結餘款悉數捐給台灣閱讀文化基金會。

2014 年 10 月「愛的書庫」在台東縣綠島鄉、蘭嶼鄉成立離島書庫

善的力量不斷匯聚

愛的回響愈來愈多，多年來借閱書籍的老師、學生也展開愛的行動，有的老師獨力認捐書箱（認捐一個書箱的書一萬元），或是把家人辦喜事的紅包捐出來買書箱，也有全班師生以園遊會或班費結餘款認捐書箱，這些隱身在台灣各角落的老師、學生或家長的支持與回饋，讓廖祿立感動又窩心，每次只要想到這些愛的回饋就開心不已，感覺善的力量不斷地匯聚，愛的循環愈來愈多，自己就做得更起勁。

「愛的書庫」運作超過十年，廖祿立認為，接下來的十年還有努力的空間，除了加入數位閱讀推廣，書庫也將拓展選書面向，讓學生從閱讀獲得的知識更多元也更廣泛。此外，也希望閱讀從學校推展到社區，未來能設立社區的「愛的書庫」、成立成人讀書會，書庫的書不只社區民眾可借，課後照顧班也能來借。

「我們希望將來可以接受民眾捐書，代轉給有需要或適合的人或單位！」這是廖董事長下一個努力的目標，他說，做這一件事要有空間、人力，會繼續朝這個目標努力。

充滿愛與動能的「愛的書庫」

廖祿立

從小我就喜愛閱讀，認為它是「學習」的主要來源，我也對教育頗為重視，因此當陳一誠老師要帶學生閱讀課外書籍卻欠缺資源而來找我協助時，我馬上就答應，並說我可以再找當地的企業家來共襄盛舉。這樣單純地啟動了「愛的書庫」，萬萬沒想到後來成立了財團法人台灣閱讀文化基金會，陸續在全台成立逾三百座「愛的書庫」，提供好書給共讀的同好者達到五千多萬人次！在此過程中，我看到了許多令人感動，讓我感受到溫暖又感恩的情境！我常告訴周遭的人，「感恩」最快又是最大的受益者就是感恩的人，因他感恩，心中時時充滿著美好、感動和幸福！

「愛的書庫」能夠有如此績效，我的觀察有如下幾個要因。

參與者的熱情奉獻

參與的人，從基金會的同仁、愛的書庫的志工們、閱讀推廣的老師們，到所有參與捐贈書箱的人，以及新竹物流的送書司機們，都充滿著「愛心」並「熱情」地投入。當

共讀好書，教育自小做起！（南投縣南投國小附設幼稚園）

我與基金會同仁相聚時，他們常會描述與這些人互動時的小故事，聽起來很令人感動，例如有些書箱的捐贈，是來自一班國小六年級畢業生的捐款，因他們感受到受益良多，並樂於回饋！

此外，我們將一些有特殊表現的人（如在帶共讀很有方法的老師）列入基金會的人才庫，建立永久夥伴關係。如此在各地舉辦閱讀研習營時，就能從當地直接聘請他們來擔任講師作分享，一方面省得舟車勞頓，另方面也讓參與研習的老師們有親近感，而形成一股內聚力！我們的研習營從過去一年辦三十場，到現在可以辦九十六場，參與的人數超過六千人，都是這些幕後功臣默默地在奉獻，令人感佩！

形成做好事的平台

由於這麼多人的熱情投入在閱讀的推廣上，無形中使基金會匯聚了一股很強的「善的力量」，而形成了一個可以做好事的平台！我在二〇一七年三月時曾接受古典音樂台葉執行長的採訪，提到教育的問題，當時我提出肯・羅賓森（Ken Rabinson）的著作《讓天賦自由》、《讓天賦發光》所提倡的教育觀，希望電台（媒體）也能共同推廣這種理念與願景，使台灣的教育能讓我們的兒童、學生了解周遭的世界並結合自身的天賦，以幫助他們學習成長（就是適性學習、適性揚才），而擁有充實的人生，成為有熱情、有生產力的公民。而在回程的路上，我思索著：「我鼓勵電台推廣這樣的理念與作法，但我能做什麼呢？」想想我們身邊圍繞了六千位推廣閱讀的老師，基本上都是充滿熱情的老師，我們何不先帶動這些老師，進而延伸到其他老師與家長，而形成如此的教育觀？

在基金會開董事會時，我把這樣的想法提出來，結果得到所有董事的同意。在二〇一七年暑假採取行動，舉辦北、中、南、東部四場的「發現天賦，成為孩子的伯樂」研習，兩位前教育部長黃榮村與曾志朗都分別參與了兩場，作理念的分享。二〇一八年舉辦了十場，邀請有實務經驗的講者和老師作現身分享；二〇一九年辦理二十二場。一想到用這種方式教育出來的小孩，會有多麼充實的人生，台灣的孩子未來都能適性揚才，充分發揮所長，實在令人興奮！由此也讓我感受到台灣閱讀文化基金會已在無形之中，形成了一個具有影響力的平台！未來只要是在教育面有可以著力的地方，我們都將樂於投入。

從陳一誠執行長來找我推動共讀，迄今已經歷了十多年，這一路走來，如前所述，始終被許許多多的「愛心」與「熱情」圍繞，從董事們的投入參與，工作同仁的熱情付出，捐贈者的無私奉獻，以及書庫的志工、推動共讀的老師們和物流司機們的全力協助……這一切令我懷抱著感恩之心，也讓我的生命充滿著溫馨、美好與幸福感！其實受惠最多的人就是我，感恩大家！有你們真好！

在教育上有可以著力的地方，台灣閱讀文化基金會都樂於投入（嘉義縣嘉新國中的數位書箱資源）

只想要幾箱書，卻讓書庫遍地開花

「愛的書庫特別的地方，就是平淡自然到忘了它的存在！」台灣閱讀文化基金會執行長陳一誠的一句話，道盡十幾年來「愛的書庫」扮演的角色——「與學生老師如此地親近，卻又感覺它的存在理所當然」。其實這也與陳一誠的個性相符，不居功、遇事冷靜、能做就盡量做，天生氣質塑造的特色外，為人師表的歷練，還有休假日為神明服務，擔任「筆生」，都讓陳一誠與台灣閱讀文化基金會展現「看似平淡卻不能缺少」的重要性。

台灣閱讀文化基金會執行長　陳一誠

陳一誠是南投縣立旭光高中的國文老師，一九九二年從代理老師開始做起，認真教學、教法活潑用心，很快就被旭光國中（旭光高中前身）的前校長孫磊注意到，不但給予鼓勵、傳授「為人師表」該有的理念與技能，還屢屢提供機會，讓陳一誠參加多項比賽，以及指導學生。

多元思維從閱讀開始

當了六年的代理老師，陳一誠帶班和教學始終熱情不減，一九九八年終於考上正式老師，隔年台灣即發生九二一大地震，震毀旭光國中的校舍，師生們在克難的組合屋教室上課。很多學生的家園毀了、財產埋在瓦礫堆中，受災區民眾的生活普遍都不好過，還要為重建或修繕房屋而奔忙，陳一誠與多位國中小老師，當時經常義務到受災戶住的組合屋，辦理免費晚自習，陪伴學生做功課。

陳一誠和幾位熱心的老師不管是在震災後的簡易教室上課，或是夜間義務在組合屋陪讀，他們都發現，孩子的學習力受到震災影響而下降，幾位老師進一步的討論後也認為，南投縣的國中學生雖然很認真學習，努力的背誦老師要求的課文、重點，也可以順利考上好的高中，但有的學生上了高中後，成績卻不再名列前茅，探究原因，就是這一群山城的孩子，沒有培養閱讀的習慣，當老師不再指定、監督背誦提點的內容，他們就不知道該怎麼讀書。陳一誠和這幾位老師們決定以「共讀」方式，到任課班級推動閱讀，即全班選定一本好書，四十幾名學生人手一本，由導師利用早自習等時間，帶領大家閱讀這本好書。當這個腦力激盪出的「共讀」計畫誕生後，陸續有其他的老師表示想加入，於是組成了「教學研究會」，一起討論挑選共讀的書單、設計學習單。

「當時的經濟不寬裕，家長認為能過日子就不錯了，哪來多餘的錢買課外書籍！」陳一誠回憶那個時期，班上總會有四、五個學生沒有辦法買共讀的書，參加教學研究會的老師們，除自掏腰包外，也跟幾家出版社談，請他們能「沙密斯」贈送幾本書給未購書的學生，而出版社也樂意配合，讓這一群「教學研究會」的老師，得以順利在班上推「共讀」。

「推動共讀一年後，真的看到學生們的改變！」陳一誠表示，當時請學生發表讀書心得，一開始同學的反應是「你的心得很白痴耶！」、「你講得很好笑！」，但後來學生們的想法愈來愈多，也愈有深度，因為學生的多元思維，上課的氛圍就變得不一樣，學生的回應愈來愈熱烈，臉上洋溢的自信和發亮的眼神，讓陳一誠感動不已。

跨越校園藩籬的共讀書箱，資源共享擴大使用對象（台南市大同國小「愛的書庫」師生志工）

班級共讀，書庫誕生

為了讓「共讀」得以持續，必須有更多社會資源的支持，才能協助學生購買共讀書籍。陳一誠想起大學時代，參加「台中市傑人會」公益活動所認識的美律實業公司廖祿立董事長。本身就愛看書的廖董事長，慷慨地捐贈了二十萬元，又介紹南投當地企業，環隆電氣公司總經理吳輝煌，也支持二十萬元。陳一誠將這筆款項納入旭光高中公庫，讓資金的運用公開、透明化。

有了廖祿立董事長的捐助，這群推動共讀的國中小老師，更加賣力地編寫學習單、推薦優良書單，並與出版社洽談團體折扣，台灣教師學會也轉寄陳一誠等人所列出的可打折購買的出版社和書單，希望能擴大影響層面。而這封電子郵件輾轉地寄給了當時擔任九二一震災重建基金會執行長的謝志誠，當時重建工作已進行了五年多，基金會希望來自民間的捐款能對重建區的心靈、教育等方面有更多的幫助，這一封「伊媚兒」，讓謝志誠找到了新的著力點，他告訴震災基金會共同打拚的同事：「接下來我們要做的就是推動重建區學生的閱讀。」

921 震災重建基金會挹注圖書資源經費購置共讀書箱

二〇〇四年十二月，謝志誠主動聯絡了陳一誠老師，「雙誠」第一次見面洽談，陳一誠那誠懇的態度、穩定踏實的個性，獲得謝志誠的信任。初次見面短短的一、兩個小時晤談，就確定由九二一重建基金會挹注經費，陳一誠來主導推動「班級共讀」的計畫。不過，謝志誠認為，不要只有幾個老師在推動，而應該普及化，並且建立一個模式、一個標準作業流程。在一個多月後的寒假，「共讀」計畫開始試辦，三個月後，也就是二〇〇五年四月，終於在南投縣草屯鎮虎山國小誕生首座「愛的書庫」。

從九二一震災基金會挹注所有經費所成立的五十座「愛的書庫」，到二〇〇八年六月九二一震災基金會熄燈，由財團法人台灣閱讀文化基金會全面接手。「愛的書庫」走過十多年的歲月，一直出任基金會執行長的陳一誠，始終是「義務職」、不支薪，儘管廖祿立董事長屢次主動寫簽呈要給他津貼，仍被陳一誠轉贈回基金會，因為他認為自己是教師，已經領了國家的薪水，衣食無虞，不需要再支領任何津貼，況且也只有「無給職的執行長」，才不會讓有心人以此職位當成跳板。他的正直、無私，贏得基金會董事們及工作同仁的讚賞與敬重，陳一誠總是說：「推動閱讀是我最想做的事，如果能幫到老師、幫到學生，那就是最有價值的回報！」

透過「筆生」助人行善

陳一誠的「助人說」，不僅出於從小的家庭教育，也因為他被選為「筆生」。多年來的神職訓練，更了解到「幫助別人」是人世間最好的修行、學習。公私分明的他，平日忙「愛的書庫」和旭光高中的教書工作，而為神明服務、擔任祂的「筆生」，都是利用週六晚上的時間，因此少有人知道他的另一個身分，也無法把他與「筆生」聯想在一起。不過國教署組長武曉霞卻在第一次見面，與他聊了幾個小時後就問：「陳老師，你跟宗教有什麼特別的因緣嗎？你的感覺就是跟其他人不一樣！」陳一誠才說出自己「下班會去廟裡幫忙當筆生」的事，而武曉霞特殊的感應，兩人後來都覺得很奇妙。

陳一誠說：「其實我會當筆生，也很奇妙！」原來他在旭光國中擔任代課老師期間，一九九八年帶了國一的新生，當時班上有位張姓家長告訴他：「我的女兒念曉明女中，但是神明指示讓小兒子來念旭光！」「神明指示說」讓陳一誠對這位家長印象深刻，後來才知張姓家長是草屯鎮「順安堂」的堂主。兩年後這班學生升上國三，必須留校晚自習，家長要排班來陪讀，張堂主常會到校「輪班」，兩人會聊上幾句，每次聊天結束前，張堂主便以「有空可以來拜拜！」作為結語，後來張堂主得知陳一誠還沒有考上正式老師後，便建議說：「有神明可以請示哦！」

陳一誠後來真的前往供奉順天三太子的「順安堂」拜拜，週六晚上偶爾也會留下來看信眾透過「筆生」向神明請示問題。有一晚神明主動透過「筆生」跟他對話：「你是國文老師，子不語怪力亂神，那你信不信神？」陳一誠也誠實地答：「我從小就跟著父母拜拜，高中也住過天主教宿舍，對各種宗教都能接受。」神明聽了後，也只透過「筆生」回覆：「歡迎有空常來！」

「其實不久我也請示神明，那年是否可以通過教師甄試，成為正式教師。」陳一誠說，「神明指示只要努力，有志竟成！」結果那一年真的考上，陳一誠把感激化為行動，便開始固定去幫忙打雜。過了幾年，原來擔任「筆生」的前輩，因轉業而無法固定週六晚間到堂裡幫忙，張堂主請示神明後，探詢陳一誠是否有意願接任「筆生」，因為這個工作只在週六晚間，並不影響教學，於是他便答應了下來。

多年的「筆生」生涯，他甚少講到神明的神蹟，反倒是神明經常提點信眾要「心存善念，多幫助人」，讓他奉為圭臬。他說，神明指示的「助人行善」，不只有捐錢才是行善，其實起心動念想幫人的那一刻就是行善。神明多次透過筆談表示，台灣人很善良，很喜歡幫助別人，因此發生天災人禍，常能把大難化小，小事化無。

播撒種子，遍地開花

陳一誠也說，神明指示要行善助人，跟他童年看的「金蘋果」的寓言故事所傳遞的觀念不謀而合。故事的主角是個年輕人，家裡有棵金蘋果樹，只要生病的人來請求吃金蘋果，吃了病就痊癒，後來國王得知此事就把金蘋果樹移到王宮，想不到樹卻枯萎，於

彰化縣社頭鄉朝興國小愛的書庫

是年輕人再把樹帶回家，金蘋果樹卻逐漸恢復生機，且繼續結金蘋果給上門請求治病的人吃。這個寓言故事傳達了人不能只為自己的名或利，也要「多幫助別人」，而到堂裡幫忙，彷彿那裡也種了一棵金蘋果樹。

陳一誠說，很多人前來請示神明，神明答覆的話都不深奧，但常讓人有「怎麼我從沒有想過」的豁然開朗。不過，大多數人都希望能看到神蹟，但得到的往往是人生哲理、醫療保健之道或食療方法，看在信眾眼裡，可能會認為「神明沒有幫到忙」，殊不知有些問題只要轉換想法就能解決，譬如身體的病只要調整作息或飲食就會改善。依他個人觀察，神明不隨便展現神力，平日祂讓大家看到的是一位智慧

彰化縣田尾鄉南鎮國小愛的書庫

的先知。

也有人對過去的親人放心不下，請示神明親人在另一個世界過得好不好，但神明的指示常是「你自己過得好不好比較重要」，當下信眾會感覺神明「不夠神」，但深思後才明白「活著的人努力過好，才是更重要的」。

陳一誠從這些點點滴滴之中，感受到「神蹟」或「奇蹟」不是重點，也不是神明揀選他去服務的目的，他應該要努力的就是把「愛的書庫」做好，更要把「行善助人」的種子撒出去，這才是神明對眾人的期望，和眾多一起支持推動閱讀的夥伴共同的理想。

愛的回響

「愛的書庫」特質

陳一誠

接受陳鳳麗小姐的採訪，就像跟老朋友話家常，心情非常輕鬆愉快。聊著聊著總會讓人回首過往，從拜託廖祿立董事長贊助支持共讀推廣，到謝志誠教授構思成立「愛的書庫」，這十幾年「愛的書庫」就像雨後春筍般，在各縣市陸續成立三百多座，超過六〇%的流通效率，讓八六%的國小、四七%的國中都曾使用書箱，是校園閱讀扎根的最佳後勤補給站。

能夠參與這項有意義的事情，內心非常感恩，尤其要感謝許許多多熱心人士，出錢出力甚至動腦想出很好的點子，使得這個公益平台能夠順暢運作。在此，我要分享「愛的書庫」幾項特質，讓大家對其更熟悉、瞭解，進而給予支持贊助，使其能長長久久。

從一鄉鎮區一書庫到特色書庫

打開「愛的書庫」網站，點選進入台灣地圖，從城鎮到鄉村，從山巔到海濱，從本島到離島，一座座大手牽小手的愛心LOGO招牌亮起，閱讀自此在地扎根循環。十多年來，許多善心美意在這平台產生連結帶來影響，「愛的書庫」從台灣中心出發，走入全台超過三分之二以上鄉鎮，拓展為三百多個據點。二〇〇七年，首次跨過海峽黑水溝來到馬祖，之後陸續至金門、澎湖。第一九九、二〇〇座綠島和蘭嶼書庫，書香遠傳讓國境之東師生展露笑顏，而後在屏東縣琉球鄉完成了所有離島書庫建置。地圖之外，書箱飄洋過海抵達美國南加州，海外書庫成立，愛與分享讓閱讀零距離。

就這樣，「愛的書庫」一步步從「一鄉鎮區一書庫」到「特色書庫」，考量在地需求，以主題式選書概念，落實多元價值。除了規劃「成人讀書會書庫」、「英文書庫」，值得一提的是，「有聲書愛的書庫」與惠明盲校合作，含圖書及有聲光碟，還吸引樂齡銀髮族群借閱；「多元文化愛的書庫」結合「新住民學習中心」，提供東南亞國家風土民情、典故風俗等民間故事；而「原住民愛的書庫」則融合部落傳統特色文化之書單規劃，讓「愛的書庫」不僅僅只是資源共享，還可同時打造出量身訂作的閱讀需求。如果說，翻開的書頁像是張開的翅膀，那麼以一座書庫五十箱合計一七五〇本的書籍，就彷彿是成千上百雙翅膀，讓大手牽著小手共享閱讀，勇於築夢，展翅飛翔！

資源共享

「愛的書庫」提供「資源」與「需求」整合平台，透過物流讓圖書能突破學校藩籬，擴大使用對象，老師可以不受地域限制借閱超過兩萬箱書，以往學校為充實共讀圖書募集經費，但在有限經費下，能添購的共讀書籍無法讓學生進行大量閱讀，一直是學校推動共讀的困境，而「愛的書庫」資源共享的方式解決了學校的困境，讓資源發揮最大功效。

透過「新竹物流」循環的動力，讓「愛的書庫」如自來水管般，將資源流向台灣每個角落。位於花東縱谷內的鹿野國小，雖然全校學生數不滿六十人，一年借書量卻超過百箱；屏東縣西部沿海新園國小的呂老師，七年來已借閱超過六百箱書籍，老師們不辭辛勞將書庫滿滿的資源流向更多的孩子，使書香遠傳無遠弗屆。

閱讀教學的最佳後勤補給站

「需要的書，愛的書庫買給您！」舉凡搭配課程的延伸用書、經典必讀好書、各國繪本大獎得獎書、永遠在流通狀態預約滿檔的熱門書等，「愛的書庫」以教學需求為出發，用多元角度切入，為老師們精挑細選。

如果把老師比喻為廚師的話，那麼「愛的書庫」就是裝滿各樣食材的食品原料行，每位老師都可以在九千多種的書籍種類中，為自己的課程量身打造挑選書籍，書籍內容經過老師的課程轉化，將能成為學生受用的閱讀素材。「愛的書庫」以閱讀教學的最佳

「原住民愛的書庫」特別融合部落傳統特色文化規劃書單，打造量身訂作的閱讀需求

後勤補給站為目標，站在教師身後，成為最有力的資源後盾。

閱讀延伸資源及共讀討論的啟發性

愛的書庫也提供延伸性的活動與資源，讓「閱讀」不只是「閱讀」——鼓勵孩子分享讀後感，同時訓練寫作表達能力的「寫十贈一」活動；培訓閱讀種子教師，推廣閱讀新知及實務經驗的「閱讀教學研習」；以及幫助學生掌握主題架構、兜攏思考脈絡的「學習單」教材資源……，多元化的素材讓老師們有豐富的教學補給，更能專注在師生課堂間的互動與引導。

「自從『愛的書庫』來到我們班，不只豐富我們的生活，更提升班級閱讀風氣！下課時，大家多了討論話題——你書讀完了沒？結局是什麼？一言一語都和書有關，希望這份愛與溫暖，能傳遞給更多的人。」「讀書會上，看見孩子們興奮的討論，理解力強的學生幫助仍在探索的學生解答疑惑，後者受到前者的鼓勵與支持，雙方露出自信且滿足的微笑。」基隆市仁愛國小魏同學以及新竹市南寮國小林老師，在基金會出版的《閱讀會訊》中分享共讀書箱進到班級裡，師生與孩子之間互動的模樣。這也正是「愛的書庫」推動閱讀的初衷——透過好書共讀，藉由討論分享、衍生創意形成多元價值，促進思辨能力與價值觀的培育，擴展閱讀者的角度與視野。

桃園市田心國小參與愛的書庫「寫十贈一」活動

隨著時代演變、時間流逝，我們都會逐漸凋零老去，但是年輕的學子會一代接著一代來接續傳承，大家共同努力，一定能邁向台灣閱讀文化基金會的宗旨：透過全民閱讀習慣之養成，建構台灣成為一個富而好禮、祥和愉悅之公民社會。

希望當學生的貴人

南投縣草屯鎮虎山國小是全台第一座「愛的書庫」，而梁淑娟老師是第一位書庫的志工，更是資歷最久的志工，從二〇〇五年九月起，十多年來不曾中斷過。她深知閱讀對下一代的重要性，希望能以有限的心力，推動共同閱讀。對於退休後成為書庫志工，她說：「很多人說我是當了志工變快樂，其實我是帶著快樂的心來當志工，每次來都開心！」

南投縣虎山國小退休老師　梁淑娟

梁淑娟老師在國小教書三十五年，另一半陳江水校長則足足在教育界服務了四十年才退休，這對夫妻合計當了七十五年的教育園丁，退休後依然關心教育，因此梁老師二〇〇五年八月退休，九月就投入「愛的書庫」擔任志工，一做就是十一年（到二〇一六年九月）。梁淑娟老師說：「感謝先生的支持，他在家幫忙做家事，我才可以無後顧之憂地到學校當快樂的志工！」

第一座「愛的書庫」的第一位愛心志工

對於自己是「愛的書庫」最資深的志工，她頻頻謙稱「那沒有什麼啦！」，但對於退休後選擇當書庫的志工，她則感性地說：「閱讀對下一代太重要了！感謝『愛的書庫』提供免費的書籍，讓老師得以順利推動班級共讀，當志工只是略盡一點心意！」

梁淑娟透露，在國小教了三十五年的書，深刻體會到閱讀是學生厚植實力的不二法

共同閱讀可以幫助沒有讀書習慣的學生提升閱讀能力

門。過去沒有「愛的書庫」，老師們在班級推閱讀，大多是在教室設置圖書櫃，每種書可能只有一本，學生下課時間會去找喜歡的書閱讀，但是這種「各讀各的」方式，學生之間少了「共鳴」，少了分享讀同一本書的快樂，因此她與幾位教低年級的老師一起推動「共讀」。

當時老師們集資購買學生共讀的書，一箱四十五本，透過全國教師會向書商訂購雖有折扣，但由於經費有限，一學期最多只能買兩箱共讀的書，所以老師們為挑選適合學生的書，總是不斷地討論，斟酌再三後才決定。每當新書送到後，學生眼睛發亮，經常問：「老師，什麼時候才輪到我們？」供不應求，反而激起學生們閱讀的樂趣。

「共同閱讀可以提升沒有讀書習慣的學生閱讀能力，而且提升得非常快！」梁淑娟省吃儉用與其他老師合資買學生共讀書籍的那幾年，她用心地觀察班上學生的變化，發現有學生邊笑邊分享看到書中哪些有趣的情節時，其他人常會好奇地問：「是哪一段？在哪一頁？」等問到答案時，便迫不及待地翻閱，將「主動求知」的精神發揮得淋漓盡致。

有愛的書庫真好！

梁淑娟退休前四個月，首座「愛的書庫」據點設在其服務的虎山國小，當時「台灣閱讀中心」網站也建置完成，讓她得以盡情地借用書庫的書，繼續帶領班上學生「共讀」。短短四個月，就讓她感覺「有愛的書庫真好！」，內心充滿感恩的她，決定退休後即投入「愛的書庫」志工行列，而且一做就是十一年。

身材纖細的梁淑娟，在教育部沒有派閱讀替代役前，常得自己搬動沉甸甸的書箱，還要為每本書貼上標籤後放入書箱；愛乾淨的她，也常自己拆紗窗清洗或拖地板。不論

梁淑娟老師細心打理書庫周邊環境，還自己拆紗窗清洗

是整理書箱或打理書庫周邊環境，每一環節都細心照料。粗重的工作並沒有讓她打退堂鼓，因為她只要看到老師們開心地幫學生借書，或是學生圍在身邊跟她討論某本書的內容，就會覺得這一天沒有白過！

「我們虎山國小的王老師借閱率都是第一名哦！」「虎山國小的老師都好有愛心，疼愛學生的故事說都說不完！」她說起昔日同事的事蹟時總是神采奕奕，她提到，有一個學生在嬰兒時期就跟越南籍的母親回越南居住，一直到八歲才回到台灣念書。這孩子一開始言語不通，功課跟不上，可是導師總是極有耐心的教導，上班級閱讀課時，也很用心地引導，即使效果不顯著卻從不放棄。「你知道嗎？那位老師不只關心那個學生的學習狀況，知道他家境不好，更在他小學畢業前，便已幫他備好國中制服！」梁淑娟說起這件事時，臉上盡是感動，她說：「當『愛的書庫』志工的自己，能為這麼好的老師服務，能不開心嗎？」

「愛的書庫」若設置在比較大的學校，往往還有熱心家長投入志工行列，虎山國小過去也有家長加入，但也都來來去去，一批換過一批，只有梁淑娟始終堅守崗位。曾有擔任志工的家長誤以為她是拿了薪水的工作人員，才能做那麼久，直到有一天無意間了解梁老師也是無給職的志工時，才知道自己誤會大了，從此對她刮目相看，盡力地配合書庫的工作，並一起將「愛的書庫」布置得溫馨可愛。

梁淑娟從事教職三十五年，擔任「愛的書庫」志工十一年，「希望當學生的貴人」始終是她的座右銘。她說，其實各地的書庫，都有不求回報的老師或志工，就算自己有一天不在這個位置，相信這股愛的力量仍會一直延續下去。

愛在「愛的書庫」

梁淑娟

生命是美好的，有幸陪伴成長更是最棒的福份，由於工作的環境周遭就是兒童，看著他們從天真可愛、懵懂無知，到明辨是非、懂事有禮，內心是極為喜悅的。服務三十五年退休前，恰逢台灣閱讀文化基金會在本校虎山國小設立「愛的書庫」第四個月，也就是說我退休前已享用「愛的書庫」，班上學生受惠了！

養成閱讀習慣，終身受用

個人喜愛閱讀，更深諳大量閱讀對孩童的成長學習有極大的助益，對學科的影響更是強烈的正比。舉個實例，當時班上有個喜好閱讀的小孩，三年級時參加校內注音字形競賽，成績已勝過四年級同學，四年級時就代表學校參加全縣性比賽，也獲得極優的成績。況且有閱讀習慣的小孩閒時不會喊無聊，宴會等上菜或大人聊天時，都是靜靜閱讀的好時機。

閱讀習慣需要養成，不同於餓了會主動進食，渴了喝水，睏了就睡，尤其從小養成

全台第一座「愛的書庫」──虎山國小愛的書庫

的習慣會終身受用，家中的父母長輩、學校的師長，皆是培養孩童閱讀的最佳人選。而「愛的書庫」書籍的共讀，更是培養閱讀的好幫手，我發現當教師進行班級共讀時，學生聽到其他同學的心得發表，分享有趣的片段時，會豎耳專注聆聽並立即翻閱，假以時日，原本只會隨意翻書的也漸漸會認真看書了！進行共讀討論有共同的焦點及話題，這和全班到圖書室各取一本書來看是全然不同的，共同閱讀對尚未養成閱讀習慣的學童有立竿見影的成效。

歡喜志工十一載

基於以上信念，適逢閱讀中心邀約，加上家人的支持，退休後旋即接下虎山「愛的書庫」志工，每週一三五下午一點半即懷著歡喜的心情到書庫工作。當時每箱四十本書沉甸甸的，滿載知識的寶庫，經由借閱老師和志工合力搬上車，因為當時需到書庫現場搬書，有些騎機車的老師因書箱塞不下，也會變通使用合適的紙箱裝書再載回。當年多人同時到書庫借書、還書、點書、搬書，忙碌的情景一一浮現……。

教師認真推動閱讀，還要借書、指導、還書，這些都是學校課程額外的付出。所以老師到書庫借書，書庫志工總是盡力協助，閱讀替代役交接時會說：「梁老師說，到書庫來借書的老師，一定要非常尊敬！」尊敬老師是我的信念。

在這十一年裡，書庫志工有學生家長、員工子女、本校及他校退休教師，大家都接續在這個書庫使過力、用過心。二〇一二年有閱讀專長替代役加入，他們年輕力氣大，也有新思維，書庫增添了新活力；而日後改變為物流配送，甫開學動輒一百多箱，也能從容應對毫無差池。

出錢出力，共襄盛舉

虎山國小「愛的書庫」的設立，校長、行政單位都很重視支持，特別選了二樓鄰近電梯的教室，方便書箱運送，也不懼淹水。校內教師得地利之便，可優先借還書，所以屢屢獲得借閱率的金榜。老師們對書庫更是時時送來溫暖，當書庫工作量大時，會指導全班學生利用下課時間，幫忙搬動及排列書箱，讓學生參與社會服務是很有意義的。虎山的老師就是這麼優秀，除了出力更出錢捐贈，每箱一萬元的書箱，有的老師陸陸續續捐了近四十箱，也有一口氣捐十五箱，而三箱五箱及小額捐款更是不勝枚舉。

本人常受貴人相助，有幸參與「愛的書庫」這偉大工程，能在推廣閱讀這一塊當個小幫手，心中只有感動感恩。實體書庫由最初個位數，目前已達三百座，影響力之大無法計數，猶記得早期各地紛紛設立的新書庫，會到虎山來觀摩研討，我們也很樂於經驗分享。

虎山國小的師生，整理書箱並捐贈書箱，出錢出力，樂在分享

望著櫃子裡第一屆全國教育奉獻獎的獎盃，內心猶是暖呼呼的，記得當時校內數位教師強力推薦並祕密進行，經層層審核有幸脫穎而出，這光榮是屬於閱讀基金會「愛的書庫」的。

閱讀基金會「愛的書庫」加入會員，不需要入會費或年費，書箱物流免費送到校，還書亦然，我僅知這是很多熱心人士不斷的付出，心中萬分感謝。學童們有福了！推廣閱讀的老師有福了！

付出與助人的快樂

在全台三百多座「愛的書庫」中，位在台中市烏日區的九德國小，全校學生有一千三百多人，學生人數普通、借閱書箱數也非名列前茅，平均學生一學期共讀的書約十八冊，但是因為九德國小老師熱心推動班級閱讀，師生以募發票、捐出園遊會義賣所得、畢業班以剩下的班費購買書箱送給「愛的書庫」……，師生的熱情、熱心，讓台灣閱讀文化基金會的工作人員印象深刻。這些熱情活動都是因陳靜媚老師的帶動，她一句「呷果子拜樹頭」，說動學生跟她一起進行一連串的感恩回饋行動。

台中市九德國小老師　陳靜媚（右）與王韻文（左）

陳靜媚老師和書庫管理者王韻文老師是交情很深的同事，兩人從事教職的背景很相似，都非師培學校畢業，繞了遠路才圓了教書的夢想，彼此惺惺相惜，總是互相支援配合。兩位老師的體型和個性迥異，陳老師圓潤，王老師清瘦，陳老師爽朗，王老師內斂，言談舉止間卻默契十足。

為學校爭取設置書庫

陳靜媚老師教了二十幾年書，王韻文老師也超過十五年，兩人都是從三十歲那年開始教書，也都愛看書、熱衷推動班級共讀，志趣相投下，交情特別好。王韻文老師說，因為陳靜媚老師力爭在九德國小設「愛的書庫」，因此基金會真的答應給一座「愛的書庫」後，力挺好友的方式，就是擔任書庫管理，而這一做就做到現在。做那麼久的管理者，會辛苦嗎？「其實有時候真的會覺得辛苦，因為只有來來去去的閱讀替代役和任教班級學生可以協助，但每當看到老師們快樂

這堂共讀閱讀課，陳靜媚老師引導孩子進行討論

地借閱、學生作文能力得到提升，就覺得多做一點也沒什麼關係。」

「有人免費讓老師借書、讓學生讀好書，又有人公益運送書，我們能回饋一點是應該的！」開朗的陳靜媚老師附和著，她還說：「我是第一個去基金會留言反映為何『愛的書庫』只設在南投縣學校的外縣市老師！」

這則留言被基金會看到了，後來台中市霧峰區光正國小設了「愛的書庫」，她開心地到光正國小搬書箱，一次搬全學年要借的十箱書，重量沉甸甸的，但她卻不以為苦。直到新竹物流加入行列，免費幫「愛的書庫」送書、取書，才結束費力搬書箱的日子。而九德國小老師認真地借閱書箱、推動班級閱讀，後來也受到基金會的肯定，於二〇〇六年在九德國小設置了第三十五座的「愛的書庫」，讓陳靜媚老師開心不已。

學生寫作能力大幅提升

兩位老師透露，學校推共讀的老師大多一學期會讓班上學生讀十八本書，透過閱讀課程，師生一起討論，老師也藉此機會檢驗學生閱讀的成效，經過一段時間的檢視，推動閱讀的老師們都發現「學生寫作程度變好」。

一開始推班級共讀，要學生寫學習單，他們表情痛苦，唉聲嘆氣，但是推動一段時間後，學生有了變化，寫學習單速度變快，表情變輕鬆，還有學生升上國中後，回學校分享國中學習點滴時，驕傲地說「作文很簡單」。此外，家長在聯絡簿上甚至親自回饋「我的孩子作文寫得愈來愈好」，簡短的回應就讓推動共讀的老師開心好久。

「學生愛看與他們現階段生活有關的書籍！」參與「愛的書庫」選書工作的陳靜媚老師，從學生對共讀書本的反應，發現學生喜歡的書，除了幻想類之外，王文華等作家寫的與學生生活經驗有關的書，也很受歡迎。因為在第一線教學獲得的經驗，陳靜媚幫書庫選書，能撇開大人的角度，除了為學生選擇適合的書籍外，也會挑選能引起共鳴的書，以吸引更多學生對班級閱讀的興趣。

以具體行動感恩回饋

熱情的陳靜媚和王韻文老師，她們很感謝台灣閱讀文化基金會設立「愛的書庫」，又有新竹物流免費幫老師們送書、取書，還為了激勵老師認真推動班級共讀，舉辦「足見幸福」講座，兩人不只教學生要懂得感恩，更帶動學生用具體行動來回饋。

兩人帶的班級，在畢業前收到學校合作社的午餐退費，她們徵詢學生是否願意把該筆費用捐給「愛的書庫」，用來添購書箱，學生反對的極少，因此在「少數服從多數」的情況下，兩人教的畢業班學生就以班級名義捐出三到四個共讀書箱。

九德國小師生對台灣閱讀文化基金會及「愛的書庫」表達「呷果子拜樹頭」的謝意，還不只捐出畢業前的午餐退費，在該校二十週年校慶舉辦園遊會時，與陳靜媚老師教同學年的老師，聽聞陳老師班級要捐出義賣所得後，決定全學年響應，將各班義賣所得六萬多元悉數捐出，共捐了九個書箱給「愛的書庫」。

「我們老師成立的讀書會也會捐書喔！」王韻文老師說，學校老師成立讀書會，大家共讀一本書，而讀過的書剛好可湊成一箱就再捐給「愛的書庫」，增加庫藏書的種類。

五年二班的孩子在陳靜媚老師的帶領下，到美術館外進行「隨手捐發票，愛心碼上捐」的活動宣導

台灣閱讀文化基金會出版的第二十九期《閱讀會訊》，曾刊登九德國小對「愛的書庫」進行一連串愛的回饋行動。而陳靜媚老師怎麼會想到帶學生宣導捐發票和利用電子發票愛心碼捐給台灣閱讀文化基金會？對這個問題，陳靜媚老師露出燦爛的笑容表示，二〇一五年二月基金會在推動「愛心零錢發票箱」及愛心碼的宣傳活動時，為了訓練班上學

生的膽量，也讓他們對基金會有回饋的行動，全班在班級討論後，決定展開「隨手捐發票，愛心碼上捐」的活動。學生不只利用朝會時間，上台向全校師生宣導，也製作宣傳看板到校門口宣傳，或利用校外教學機會，到國立台灣美術館外舉牌宣導，向路人發送「愛的書庫」愛心碼貼紙，有不少路人受到感動，隨即從包包中找出發票，委託小朋友們代捐。那一段宣導的日子裡，學生努力投入，也在行動中體會到「付出與助人」的快樂。

實際記錄學生上閱讀課的情形，從學生們積極地回應老師對書中內容的提問，努力翻找內容在哪兒，那種認真的模樣和炯炯發亮的眼神，實在令人動容！

【後記】

不知是該慚愧自己拖拉的個性，還是要感謝老天刻意要我「等待」？在採訪陳靜媚和王韻文老師的一年後，書的訪談工作還在進行中，就接到陳老師病逝的噩耗，二〇一五年九月二十八日，參加了九德國小為陳靜媚老師舉辦的「最後一堂課——陳靜媚老師紀念追思會」。

陳靜媚老師曾教過的學生、現在帶班的學生，以及她昔日的師長、同事，將視聽教室擠得水洩不通，大家把想對她說的話寫在卡片上，掛在走廊的窗台上，讓祝福與思念的話語，隨風捎去給在天上的陳老師。

忙裡忙外的王韻文老師，停下腳步跟我小聊陳老師生病的情況。原來一年前看到她圓圓的臉，不是她福態，而是因剛做完癌症治療而顯得浮腫，也才知道她爽朗的笑聲背後，是長時間與死神拔河，辛苦地對抗病魔。她的堅強、樂觀，除了熱愛生命，王韻文老師說：「她太喜歡教書、太喜歡她的學生了！」

王老師說，靜媚老師大一就發現骨癌而接受開刀，為此大學曾休學養病。二〇一三年又被診斷出子宮肌瘤和鎖骨癌，在療程結束後即回到學校帶班，她答應要把自己的班帶到畢業。而在二

陽台上隨風飄揚的卡片，繫著大家對陳靜媚老師的滿滿思念

○一四年五月底準備再動手術前，她就把畢業專刊做好，把送給學生的禮物全部準備好。愛書成痴的靜媚老師，病榻上只要精神和身體狀況許可就是看書，當知道可能撐不下去時，也要親人將她所有的藏書全數捐給學校圖書館。

「靜媚遺愛人間，將她最愛的書送給最愛的學生們！」王韻文老師說，紀念追思會的最後一個節目就是贈書，一生愛書又認真推動學生閱讀的她，相信可以了無遺憾地去做快樂的天使。

追思會當天有多位親友、學生和同事代表致詞追悼她，台灣閱讀文化基金會也致贈靜媚老師感謝狀，所有上台的人幾乎都淚流滿面。既然追思會訂名為「最後一堂課」，也由她帶過的學生，各為老師朗讀一本曾由靜媚老師帶他們讀過的繪本，請在天上的她驗收成果。她帶的五年五班學生，在追思會結束的那一刻，如常地由班長高喊「起立、立正、敬禮」，接著所有她教過的學生大聲地說：「謝謝老師。」下課了！學生們雖不捨，仍不忘跟老師說：「老師，您好好休息！」

陳靜媚老師在屬於她的「人生的課堂」先下課了，但她對教書的熱忱、對閱讀教育推動的成就，還有她爽朗的笑聲，都永遠留在曾與她接觸過的人心中。

把這份情傳下去

王韻文

看著這篇採訪稿，往事歷歷在目，想起靜媚的一點一滴，又是淚如雨下。

九德國小跟「愛的書庫」的緣分源於靜媚。靜媚就是這樣，任何跟教學有關的新事物，她的消息永遠最快最新。一開始會知道「愛的書庫」就是靜媚告訴我們的，全學年的老師先去霧峰的光正國小借了十箱書回來輪閱，那時還是自己開著小車把書箱載回來的。後來為了在九德國小成立書庫，靜媚號召全校老師去台中市中正國小一次搬了五十箱書回來（這次出動家長的貨車），因此證明我們學校老師推動閱讀的誠心與決心，終於如願在九德國小成立了「愛的書庫」。

全校班級一起加入共讀

在跟校長請示時，我們承諾只要還在九德國小，書庫就歸我們管。靜媚是個熱情出點子的人，但是她說她不適合上台說話，所以管理和對外聯繫就成了我的工作。這當中有幾任的替代役幫忙，後來學校的設備組長也加入協助，減輕一些負擔。除此之外，還帶著班上的學生處理相關事宜。每年接到新學生時，我都會告訴他們，他們是有福氣的一群，可以幫忙做這麼有意義的事情，學生們也都樂在其中。我自己心裡這麼想著，因為志願付出，所以每年都會有認真乖巧的學生來共同幫忙。

在成立書庫之前，學校已經有些老師在帶共讀的活動，讓孩子買書，讀完後跟其他班交換，之後捐給圖書室。我和靜媚都愛看書，也深知閱讀能帶給孩子許多成長，帶班的學生都一起加入閱讀行列。有了書庫的書箱之後，推動起來就更方便了，最後，全校每個班都參與了這個活動。每個學期會以學年為單位從書庫借一輪，再從校內圖書室借一輪書箱。各班老師有不同的引導模式，課堂上討論、寫讀書心得、學習單……，全校師生們都沉醉在書香裡，因為大家讀同一本書，就有共同的話題，有時搭配時事，有時搭配不同主題，也因此有不同的教學活動。就讀九德的孩子是幸福的，永遠有看不完的書，玩不完的活動。

用生命教會我們的事

靜媚的熱情似乎永遠用不完似的，所有書庫推的活動，她都積極參與，像是寫十贈一、愛心零錢發票箱、愛心碼的宣傳活動……。看她帶著學生做這麼多有意義的事，當她的學生很幸福，連我都很想當她的學生呢！我一直知道靜媚生病的事，她的腳有些不方便，但是我們一起出國旅行的時候，她都盡力跟著走，跟不上的時候會叫我們先走，自己再慢慢跟上，盡量不造成我們的負擔。她是這麼努力生活，這麼努力工作著，她把她的生命用到極致，即使後來病重仍堅持該給學生的校外教學、活動、班刊，一樣不缺。直到她必須得住院，她仍然心繫她的學生，在畢業典禮跟學生們視訊傳情。這時我才深深感受到靜媚用她的生命教會了我們許多事，雖然靜媚離開了，但她教會我們的，我們會努力把她的這份情傳下去的。

當孩子們真心喜歡閱讀時，神情是開心的，眼神是清亮的

全班共讀一本書，沉浸在書香世界裡

注入活力，熱心服務全方位

「台北囝仔」葉孟軒，畢業於國立臺灣師範大學，拿到社教系和國文系雙學位，因為有中文、圖書資訊的專長，因此選了閱讀替代役，二〇一四年五月中旬分發到草屯鎮虎山國小，擔任「愛的書庫」替代役。二〇一五年四月一日退役，服役十一個月的時間，對虎山國小、對「愛的書庫」而言，他是一個不可多得的好助手，而對他自己而言，這是人生最奇妙、也最難忘的經驗。

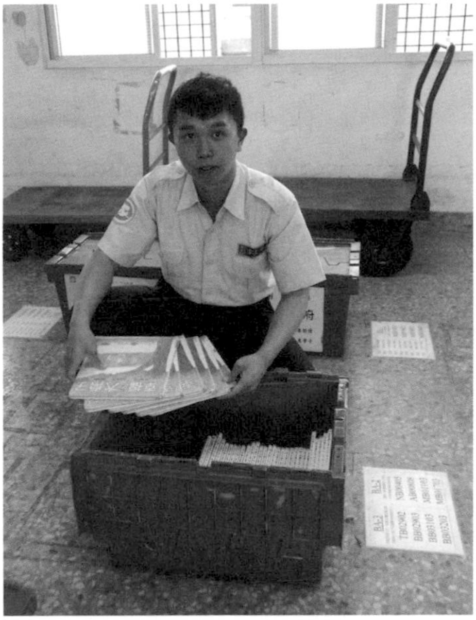

閱讀替代役男　葉孟軒

葉孟軒曾是閱讀替代役男，協助南投縣草屯鎮虎山國小管理「愛的書庫」。有趣的是從未到過草屯鎮的他，因台灣燈會在中興新村舉辦，他與友人特地到中興新村看燈會，看完燈會他從會場徒步走到中興圓環時，朋友指著虎山路的方向說：「那條路就是通往草屯鎮！」當時夜色已深，虎山路兩旁的店家早就打烊，街道燈光昏暗，他心想：「草屯真是荒涼啊，我應該不會再來了！」誰知不到三個月，他就分發到位在草屯鎮虎山路上的虎山國小服役，這樣的機緣讓他大呼「不可思議」，因為才三個月，他就與這個不曾踏上的地方結下不解之緣。

超高效率的圖書管理

虎山國小是台灣閱讀文化基金會設立的第一座「愛的書庫」，也是所有書庫中排名前幾名的大型書庫，約有二百五十個共讀書箱，偌大的書庫原只有退休老師梁淑娟管理，葉孟軒加入後就成了梁老師的最佳幫手，分擔書庫書箱的調度、書籍盤點、清潔、歸位等工作，除了協助書庫借還書手續，還會撥空整理圖書館環境。他說，學期開始和期末是「愛的書庫」最忙的時候，這段時間「愛的書庫」就變成「虎山重力訓練室」，因為喜歡「今日事今日畢」的個性，曾經一天進出高達一百七十個書箱，數個書箱搬進搬出，到晚上入睡前才發現雙手痠痛到快抬不起來。

「孟軒很有想法，也很有效率！」虎山國小書庫管理者梁淑娟老師，忍不住豎起大拇指稱讚。她透露，「愛的書庫」要送出去的書箱，孟軒會先依借閱的學校分類擺好，而準備要送進來的書箱，則會先把書目和位置編好，書箱一送到書庫，就能馬上歸位，一目了然。

「你知道嗎？孟軒不只將『愛的書庫』管理工作做得好，他在寒假還做了驚天動地的事，可以說是前無古人後無來者！」話不多的梁淑娟老師，說起葉孟軒就停不了。她說，二〇一五年一月下旬放寒假後，孟軒畫好書櫃、桌椅擺設的位置圖，將學校圖書館內二萬多冊的圖書，全部整理一次，應該淘汰的就下架，而整理過的圖書重新貼上新標籤，書目的編碼適合小型圖書館使用，更方便查詢和找尋。

對於書庫管理員梁淑娟的讚賞，葉孟軒略顯靦腆，但說到小朋友愛上圖書館，他的

幫助農民開設臉書粉絲頁，半年後突破六百五十個讚

眼睛便炯炯有神，他說：「圖書館重新整理後，小朋友似乎變得更喜歡到圖書館，下課常來圖書館看書或找我聊天！」

幫農友架設臉書粉絲頁

葉孟軒服閱讀替代役，但有滿腔熱血的他，做的事卻遠遠超過他被賦與的。最讓他有成就感的事，莫過於幫國姓鄉農民張義明和他意外失明的兒子張世杰，所開設的「明緣休閒農場」臉書粉絲頁。

「孟軒也是受我拜託，才會幫不相識的農民建立臉書粉絲頁！」從梁淑娟老師的話中，聽得出她對葉孟軒的感激。葉孟軒笑著說：「其實我也學到很多！」原來梁淑娟二○一四年在虎山國小協助外配識字班上課，班上有個來自越南的外配「阿翠」，每回上課都是公公張義明開車載她來，後來才知道阿翠的先生多年前在一次工作意外中失明，才由公公開車接送，更在聊天中得知張義明種水晶楊桃和枇杷，張世杰也自立自強，靠著對藝術和植物的天分，種起綠色植物，不喜歡一成不變的他，每盆植物生長的樣子均與正常版不同，梁淑娟十分欣賞這些植物的不按牌理出牌。

看到張世杰和爸爸認真務農卻不懂行銷，梁淑娟心疼之餘，拜託葉孟軒幫張家架行銷網站，但葉孟軒認為設置臉書快速且方便，當晚就把臉書粉絲團開設好，名字就是張家父子的「明緣休閒農場」，而張世杰種的盆栽也被他取了「偏植面」的名稱。

葉孟軒在「明緣休閒農場」粉絲團認真發文，每週固定至少三篇圖文，但一開始前來按讚的人數少之又少，他經過觀察後，發現要在臉書用搜尋引擎找尋到「明緣休閒農場」，按讚數必須愈多愈好，因此立志半年內突破三百個讚，而在廣召親朋友好和虎山國小老師的支持後，半年後按讚數突破六百五十個。

農產品「預售」行銷

讓農場臉書粉絲網頁增加曝光率、搜尋能見度外，葉孟軒也思考如何幫助張家父子

葉孟軒服役期間與虎山國小師生成為好朋友，退伍時大家都相當捨不得呢！

的農產品行銷，沒有做過農事的他，幫張家父子建立網路的「預先銷售」模式，在臉書粉絲頁提前預告哪一種農作物在什麼時間會採收，其口感、特色、價格都為文介紹，讓網友提前預訂，增加銷售量，也穩定農產品的售價，不會有「菜土菜金」的情況發生。他的臉書「預售」方式，幫張義明多賣了很多楊桃和枇杷，而張世杰的盆栽則沒有標價，是由遊客隨喜給付。

葉孟軒曾帶好朋友到農場為農作物和張家人拍工作

不只搬書、整書，也和小朋友一起探索與學習

照，也和梁淑娟老師一起到過農場，但張義明父子只知道他是「葉先生」，到他退伍時還不知道他的全名，張義明對葉孟軒充滿感激，他說：「一直非常感謝葉先生，卻沒有好好當面致謝，連想在他退伍時送一點農產品的機會都沒有。」

一退伍就開始工作的葉孟軒，即使工作非常忙碌，仍努力經營「明緣休閒農場」臉書粉絲團，定期發布農場的新訊息，連農場的鄰居即將採收的新作物，也會在粉絲團順便預告。

到虎山國小「愛的書庫」服替代役，天天與書為伍，葉孟軒每天看到小朋友開心的閱讀，真誠的分享讀書心得和生活趣事，他說：「閱讀替代役服役期間的點點滴滴，將是我一生最難忘，也是最美麗的記憶！」

與你相遇，有你真好

葉孟軒

英國哲學家培根曾說：「書籍是在時代的波濤中航行的思想之船，它小心翼翼地把珍貴的貨物運送給一代又一代。」求學階段都在大城市度過，學習資源取得便利，閱讀習慣更是從小開始培養，一本書的取得，我從來沒想過會是不容易的。直到擔任教育役男，進入南投縣草屯鎮虎山國小協助閱讀推廣，近一年的服役時間讓我有足夠的時間熟悉「愛的書庫」運作，進而為提升書庫服務而努力。

我可以為閱讀教育做什麼？

虎山國小是全國第一座成立的「愛的書庫」，高館藏量、高借閱率是它的特色，我的工作內容是協助當時書庫負責人梁淑娟老師進行書箱的流通作業。梁老師給予許多發揮的空間，許多想法也是透過梁老師多年的經驗予以建議調整，讓我在工作效率與成效可以有更好的表現。為了推廣扎根閱讀，在校師長與鄰近學校的老師們會利用課餘的時間，親自來到「愛的書庫」揀選適合授課使用的書籍，教育工作者默默付出的背後，我開始思考自己可以做什麼，為閱讀教育盡一份心力。

由於超過兩百箱的館藏量，唯有縮短借還程序處理時間，書箱流通的機會才會變多。我重新設置書箱擺放位置，在辦理線上借閱書箱時可以節省搜尋時間，同時與新竹物流司機大哥討論一週的收貨時間如何搭配，讓全台學校借閱的師長可以在最短時間收到需求的書箱。我也利用時間翻閱館藏書籍內容，了解書箱的內容屬性，協助親自來「愛的書庫」辛苦借書的老師們可以更快速找到適合的書籍。

服役期間除了「愛的書庫」業務，也負責學校圖書室的業務，學校師長給我很多指導與協助，讓我在借還書作業與書籍上架外有更多努力的空間。平時觀察小朋友的借閱習慣，發現閱讀領域及素材趨向單一化，借閱區域集中在圖書室門口一帶，我重新調整館藏書籍及櫃位擺放位置，讓不同類別的書籍有被注意翻閱的機會，讓小朋友喜歡上圖書館，願意嘗試閱讀多元面向的書籍。閱讀是一個享受的過程，而找書則是一趟驚喜的旅行，國小圖書室其實可以帶領著小朋友一起啟發探索，我十分幸運可以參與其中，和小朋友們一起學習成長。

教育之道無他，唯愛與榜樣

雖然距離服役已經過了四年多的時間，現在想起當初「鐵齒」說不會再到草屯的言語，除了覺得有趣之外，最多的還是感謝。如果不是服役，我根本不會對草屯有了感情，對「愛的書庫」有機會做更多的了解進而認同。相信這是緣分，讓我可以認識梁淑娟老師，在梁老師的帶領下維持書庫的運作；周維賢校長與林芳智老師等在校師長不斷給予協助與鼓勵，讓我在校內閱讀推廣上可以盡一份心力。默默協助我的還有合作無間的新竹物流司機大哥們，我們完全不知道彼此姓名，但只要一通電話，大哥們總是全力支援「愛的書庫」流通業務，他們使命必達的熱情付出，成就虎山國小「愛的書庫」書箱流通順暢。

「班級共讀」是引導培養孩子們閱讀習慣的一個重要推手，而台灣閱讀文化基金會所設立的「愛的書庫」，讓全台教師可以免費借閱足夠全班孩子閱讀的書籍，推動孩子們一起共讀、一起討論，不會因為外在因素而剝奪了培養未來主人翁閱讀習慣的機會。同時藉由「愛的書庫」書箱在全台各地頻繁傳遞，創造一個分享與循環的資源網絡，跨越了地域限制與教育資源差異，讓孩子的學習在教科書之外，可以有更多的選擇與突破。德國著名教育家福祿貝爾曾說：「教育之道無他，唯愛與榜樣而已。」我相信人生這一段服役時光，留下的是愛與分享，是感謝與感動，伴著我在未來的人生旅程繼續堅定向前。愛的書庫，與你相遇，有你真好！

促成公部門挹注經費的牽線人

台灣推動國中小學生閱讀多年，武曉霞感覺推動的成績應該不會太差，但她調升教育部國教司科長半年，二〇〇七年「國際閱讀素養調查」（PIRLS）成績公布，台灣首次參加評比，結果在四十五個國家地區中，整體排名第二十二，台灣學生每天課外閱讀的比率甚至排名最後，遠低於國際平均值。這個成績讓教育部大感「預料之外」，武曉霞也意識到「應該更為積極了」。

教育部國教署國中小組組長　武曉霞

「二〇〇七年的PIRLS評比公布，台灣拿到中後段的第二十二名的不理想成績，才讓我重新與台灣閱讀文化基金會及其推動的『愛的書庫』重新連結！」目前擔任教育部國教署國中小組組長的武曉霞，二〇〇七年六月才從當時的台北縣（今新北市）政府教育局調升到教育部國教司科長，調職前就聽過「愛的書庫」，對於一個民間團體設置的閱讀平台，並由學校老師負責借書給學生共讀的模式，她覺得「挺有趣的」，偶而聽到台北縣（今新北市）的老師因為要自己去「愛的書庫」搬書，而將其謔稱為「恨的書庫」，她也僅於聽聽熟識的老師的牢騷，並沒有進一步了解的行動。

公部門與民間團體的合作

武曉霞調到教育部國教司後，台灣閱讀文化基金會邀請時任國教司長潘文忠為新成立的「愛的書庫」剪綵，當時潘司長在會中致詞，特別提到基金會三年來新增的「愛的書庫」數量和成績，並以「與有榮焉」表達心情，引起主辦閱讀事務的武曉霞注意，她笑稱：「對愛的書庫的認知，也從單純的知道轉而注意。」

在PIRLS成績公布前，當時教育部正在推動「焦點三〇〇」計畫，著重偏鄉學校閱讀的推動，當時曾邀台灣閱讀文化基金會參加座談，基金會執行長陳一誠在會中提出了不少建言，讓武曉霞印象深刻。而在PIRLS成績公布後，武曉霞在挫折中思索改善台灣閱讀環境良方時，想起推動「愛的書庫」的台灣閱讀文化基金會，當時她心裡有一個聲音：「也許可與『愛的書庫』有所連結！」

當心中的念頭升起，武曉霞立即南下南投縣草屯鎮，拜訪台灣閱讀文化基金會，深入了解「愛的書庫」運作模式，也暗暗地檢視基金會的體質是否健全、做事是否腳踏實地。她說，過去政府推動學生閱讀方式，是由上而下，從中央到縣市政府再到學校，但台灣閱讀文化基金會則相反，募款設置網路平台，由老師自發性地借書、還書，且學校爭取設置「愛的書庫」不是由主管機關評選，而是由學校邀集老師、家長們連署達到門檻才得以設置，其運作模式堪稱台灣首見，成效相當亮眼也讓人佩服。二〇〇七年基金會訂下「愛的書庫」全台達一百座的目標，當時還心想「如果能達到就真的了不起」，想不到二〇一四年底全台包括離島已經有二百座的「愛的書庫」，行動力和執行力令人

武曉霞熱心牽線，建立「愛的書庫」與公部門合作模式

折服。

公部門與民間團體合作必須於法有據，教育部要如何與「愛的書庫」合作？武曉霞在教育部推動閱讀的「一〇一計畫」找到合作契機，因為與民間團體合作就是這個計畫的中程規劃。武曉霞多次與台灣閱讀文化基金會執行長陳一誠及團隊開會，希望找出公部門與基金會的合作方式。

促成書箱託運服務

對於這些向「愛的書庫」借書回班上共讀的老師們來說，最感辛苦的就是得自己開車到「愛的書庫」據點學校借書、搬書、還書，因此曾有老師謔稱書庫是「恨的書庫」。不過，一直到二〇〇八年，新竹物流公司與台灣閱讀文化基金會合作，那一年僅有花蓮縣和南投縣的借還書由新竹物流公司協助免費公益運送書箱，其餘縣市照舊。

為了讓推動閱讀的老師們能減少搬運書箱的負擔，決定促成全台老師免於搬書箱的心願。幾經開會討論，並獲得新竹物流公司支持，各縣市老師向「愛的書庫」借還書，均由新竹物流公司貨運車代勞，運費由教育部一年補助二百多萬，其餘由新竹物流公司吸收。從二〇〇九年開始，老師們只要在網路平台點選想借的書，新竹物流公司貨運車的「藍色超人」就會負責把書送到學校。

引入閱讀替代役

書箱的託運有新竹物流公司，但設置「愛的書庫」的學校，動輒數十大箱的書頻繁搬運，而書庫的管理員多為女老師兼任，整理或移動書箱頗為吃力，常有女老師向台灣閱讀文化基金會反映，請教育部比照其他公家機關，幫「愛的書庫」據點學校申請閱讀替代役。武曉霞也將老師的這個願望反映給上級，經教育部國教司向訓委會（學生事務司的前身）爭取後，訓委會同意將教育部原本就有的「閱讀替代役」引入「愛的書庫」。

武曉霞表示，自從補助經費及閱讀替代役給「愛的書庫」之後，國家教育研究院舉辦新任校長研習活動時，都會

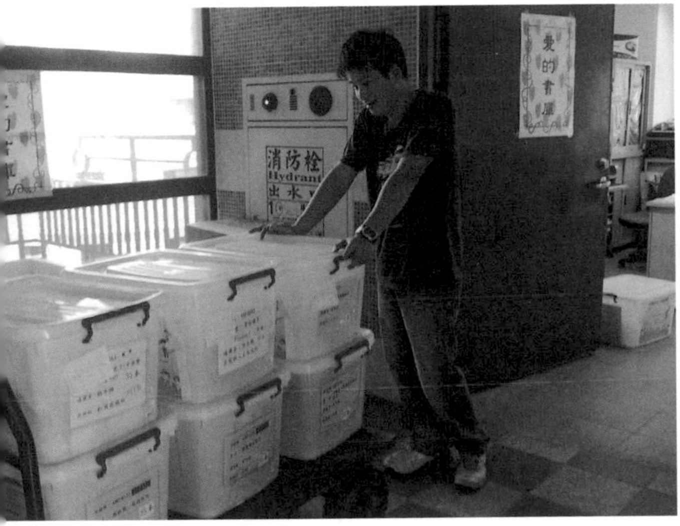

為減輕老師須親自到書庫據點搬運書箱的負擔，促成了新竹物流託運服務

請台灣閱讀文化基金會向新校長們介紹「愛的書庫」，請校長們支持並鼓勵老師善加利用「愛的書庫」推動閱讀。

此外，每年台灣閱讀文化基金會必須每三個月向教育部呈報「閱讀替代役」的成效，而為了鼓勵這些替代役男積極主動協助「愛的書庫」，教育部每年都會推薦優秀閱讀替代役男接受表揚。武曉霞表示，接受表揚的替代役男中，印象最深的是一位在偏鄉學校服役的替代役男，他犧牲自己的休假，自願幫「愛的書庫」和學校圖書館重新編書目，並改造、活化圖書館，其貢獻至今讓校方和「愛的書庫」管理員念念不忘。

總是走在最前面

武曉霞也透露，從二〇〇九年開始，每年會進行補助款的審查委員會，儘管推動閱讀的經費補助為優先，但申請的團體非常多，而「愛的書庫」總能將資源做最有效的利用，且負責運作的台灣閱讀文化基金會從不主動爭取更多補助，讓審查委員頗為讚賞，因此每年核定給基金會的補助款金額皆為前三名。

推動閱讀多年，武曉霞至今仍十分關心「愛的書庫」。她說，台灣閱讀文化基金會受到台灣三星電子的青睞，由基金會媒合認真推動閱讀的偏鄉學校，免費設置「SMART

School」智慧教室，又是一個民間走在政府之前的例子，希望這也是基金會在未來可以被參考的方向之一。也就是在實體書之外，也能增加電子書，吸引這一群「數位原生世代」的孩子閱讀（基金會於二〇一五年順利加入數位書箱計畫，提供能整箱被借閱並裝載電子書的數位平板）。

推動閱讀的能手

「閱讀能力攸關台灣的競爭力！」武曉霞也認為，除了語文書籍、電子書之外，未來「愛的書庫」的藏書要更多樣化，納入更多科學類書籍，希望能持續發揮影響力，為「愛的書庫」的會員老師多舉辦研習活動，並且作跨領域結合，提升下一代的整體實力、競爭力。

「過去能跟台灣閱讀文化基金會合作，感覺是我來沾光！」武曉霞說，基金會既符合公益性，又有聰明的作法，而且上下觀念一致，「資源不浪費」，將資源用在最需要的地方和最需要的人，能和這樣優質的基金會合作，真的覺得很有面子，也希望未來基金會能繼續擔任推動閱讀的舵手。

愛的回響

台灣推動閱讀的最美風景

武曉霞

「愛的書庫」對我而言，代表的一直是無私的、具有遠見的教育奉獻。多年前第一次接觸「愛的書庫」，便對基金會能夠運用線上平台來促進閱讀的推動非常驚豔！更難得的是，書庫的設計者能夠抓住一個重點：便是有心的教師比書籍本身更重要！因此堅持要由教師上網連署達一定人數表達意願，才會在該校成立。如此先進的共享概念能在多年前就領先推動，真的要佩服「愛的書庫」的創立者。

然而，許多年過去，「愛的書庫」的推動熱度未曾稍退，不但後續引入外部資源如替代役及新竹物流的力量一同推動，設立座數亦已突破三百座。而且書庫的形式不斷推陳出新，舉凡數位書庫、多元文化書庫都一一成形，並且都能領先趨勢。為何能有如此歷久彌新又創新的作為，實在是有許多的有志之士一起努力！而在推動的歷程中，無論是廖祿立董事長或是陳一誠執行長及相關同仁，都抱著無私之心不疲不厭的推動，令我萬分感佩！

「愛的書庫」多年來協助了公部門及學校，關注了廣大教師及學生的閱讀需求，我想，這正是台灣推動閱讀的最美風景：集結眾人之力，默默耕耘閱讀。愛的書庫，有你真好！

數位書箱讓閱讀的形式更加多元（台南市篤加國小）

「愛的書庫」讓閱讀成為學習過程中最美好的事（桃園市平鎮國中）

公益運送，推動閱讀革命

老師免費借班級共讀的書箱，不用再自己到「愛的書庫」搬運，而是新竹物流貨車送到學校，並把借過要歸還的書箱搬走。促成新竹物流公司公益運送「愛的書庫」書籍，每年投注一千一百萬元運費的推手就是新竹物流前CSR總監王俊凱，他讓全台借過「愛的書庫」書籍的小朋友都認識新竹物流的司機，掀起一股「藍色超人」的崇拜和感謝風潮。

新竹物流前 CSR 總監　王俊凱

王俊凱是從「愛的書庫」還未設立就一起進行腦力激盪的人，二〇〇四年他還在掌管民間捐款而設立的九二一震災重建基金會工作，基金會執行長謝志誠在震災重建的中後期，硬體重建逐漸完成的階段，準備把震災捐款用在心靈、教育重建，陳一誠老師和多名老師推動的閱讀運動，以老師為主體開書單、買書、設計閱讀學習單，在班級帶領學生共讀一本書的做法，受到謝志誠的肯定，因此有了書籍循環利用、老師為借閱主角的「愛的書庫」構想，而從無到有，身為基金會執行秘書的他，投入頗深。

減輕教師搬運負擔

二〇〇八年九二一震災重建基金會熄燈打烊，王俊凱到法務部工作，當時ＥＭＢＡ

的同學告訴他，新竹貨運公司（新竹物流前身）希望能長期投入公益，問他有什麼方向可行，第一個想到的就是台灣閱讀文化基金會和該基金會管理的「愛的書庫」，還有南投縣的女老師大腹便便地搬書箱、運送書箱的往事，於是探詢新竹貨運是否願意分擔偏遠縣市的運送書箱工作。經由他的媒合，那年新竹貨運的貨車開始把書箱送到南投縣的信義和仁愛兩個原住民鄉，還有後山的花蓮縣。

「後來我想到嘉義縣的女老師曾搬書箱閃到腰的事，心想需要新竹貨運公司幫忙運送書箱的何止南投和花蓮！」王俊凱說，就在腦中浮現這個想法時，教育部主動表明挹注經費，加入推動閱讀革命的行列，每年補助二百多萬運費，二〇〇九年新竹貨運的貨車載著「愛的書庫」的書箱，穿梭在全台各縣市。王俊凱說：「『愛的書庫』若缺了願意搬書、運送的司機大哥，愛還能傳遞多久？」這群願意支持公司擔負公益責任的司機們，讓王俊凱每每想起，都會心頭一暖。

「人生的緣分很奇妙！」台灣閱讀文化基金會與新竹物流的關係，王俊凱扮演了穿針引線的角色，二〇一〇年擔任法務部部長機要的他，隨著部長一同離開法務部，堅持「裸退」、還沒來得及去數街上的電線桿，基金會執行長陳一誠反過來客串「職業媒合者」，探問他是否願意到新竹物流公共事務部工作。二〇一一年他就成了新竹物流的一員，負責企業社會責任工作，支持藝術下鄉、自然農作之外，為「愛的書庫」運送書箱，

新竹物流公益託運，協助書香流通無遠弗屆

當然是主要的工作項目之一。

藍色超人・愛的禮物

新竹物流投入書箱搬運的工作，對貨車司機而言是額外增加的工作，除了配合公司的公益使命外，王俊凱希望這群司機們能得到更多的榮譽感和參與感，在與台灣閱讀文化基金會執行長陳一誠等人多次討論後，給了這群穿著藍色制服的司機一個新的封號：「藍色超人」，並且為他們過「另類教師節」，各自設計感謝和慶祝活動。王俊凱說，「另類教師節」活動真的讓很多貨車

師生響應另類教師節活動，在司機先生送書到學校時列隊歡迎送卡片

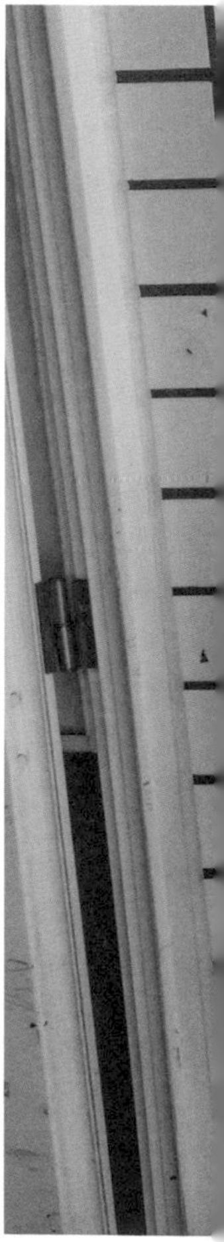

司機大為感動，從二〇一一年起，參加過活動的「藍色超人」都印象深刻，有司機更被小朋友的用心感動得流淚，認為這是他一生中最感榮耀的一刻。

「我們的司機是麋鹿！希望找出更多帶給社會善的禮物的聖誕老公公！」王俊凱接受採訪時，把這群「藍色超人」稱作麋鹿，而看似理性的他，也貼心地幫這群「麋鹿」找尋要送給舉辦「另類教師節」活動學校的禮物，回禮的時間正好就是每年的耶誕節，禮物雖小但不能馬虎，年年都認真挑選特製的小禮物。像第二年是四色鉛筆，第三、四、五年各為二階魔術方塊、3D繪畫手冊、福衛五號立體拼圖，禮物雖小但每件都是精挑細選，希望拿到回禮的小朋友也能感受到「藍色超人」的祝福心意。

激勵參與，提高熱忱

王俊凱進入新竹物流公司後，對於「愛的書庫」有更多的想法，他希望這座由企業捐款而設的書庫，能發揮更大的效用，開始思索改變的方法。首先針對經常損壞的書箱進行改變，將毀壞率很高的白色置物箱全數汰換，改為特製的堅固書箱，顏色也統一為藍色，與「藍色超人」的制服顏色一樣，讓司機們看到書箱，感覺這是公司的書箱，在運送時更有認同感。

汰換書箱之外，提高老師借閱率、推動班級共讀的意願和熱忱，也是努力的目標，因此他想出鼓勵熱心認真老師的「足見幸福講座」，用心的老師可在學校獨享講座，「所

（上）足見幸福講座——倒立先生黃明正於台南新民國小
（下）足見幸福講座——昆蟲老師吳沁婕於屏東竹田國小

謂講座可能是去一個年級，也有可能只去一個班級！」王俊凱說，「足見幸福講座」從二〇一四年開始舉辦，先以前一年借閱率來排順序，「酷酷嫂」周美青曾經到屏東縣某國小的其中一個班級，帶該班小朋友共讀一本書，之所以選這個班級，是因為導師認真推動閱讀，這種獨享的福利，既是鼓勵認真的老師，也對其他老師產生壓力而願意效法認真的老師。

王俊凱透露，講座的講者不只是名人，也有另類生命經驗的勇者，例如：少女公益慈善家沈芯菱、倒立先生黃明正、昆蟲老師吳沁婕、溜溜球達人楊元慶、客家音樂工作者林生祥……，還有安排「霧裡 fun 魔法」，到班級去帶科普課程，各種特殊的課程就以認真推動閱讀的學校或班級為優先。而幾年下來，申請「足見幸福講座」的人數一直在增加。「老師願意做，我就願意回饋。」希望能夠激勵更多老師的參與。

閱讀動力來自對渴望的知識之追求

王俊凱從九二一震災重建基金會時代，就開始推動閱讀，不只是因為「讀書可以改變很多孩子命運」的使命，最主要是他的成長過程中，有很多閱讀的美好經驗，自己愛閱讀自然也希望分享這種快樂的經驗。他說，國小就開始看古龍、倪匡的小說，讀古龍的《小李飛刀》，看到「小李飛刀」把最愛的女人讓給最好的朋友，多年後只想看心愛的女人一眼，卻引起一場江湖的殺戮，小時候一直不懂為何他的好友要把他殺了，直到自己步入中年才稍懂這種內心的糾葛。一本小說可以讓自己在不同年紀有不同的想法，閱讀迷人之處就在這裡。

（上）足見幸福講座——溜溜球達人楊元慶於南投中山國小
（下）足見幸福講座——客家音樂工作者林生祥於屏東竹田國小

王俊凱也愛看名人傳記，當抽離自我世界到那位名人的世界裡，過足「角色扮演」的戲癮，小小的心靈還會生出「我會不會做得更好？」的念頭。他還在國中時代偷偷地看了江南寫的《蔣經國傳》，長大後參與街頭運動，跳脫乖乖牌思想，應該都受到這本書的影響。

愛讀傳記的他，發現影響他最深的一本書是《愛因斯坦的夢》，他說，這是一本對時間充滿想像力的書，文字有一點硬，但就是吸引自己的目光。因為這本書，後來大學念了數學系，畢業後還曾動過開一間奇特咖啡館的念頭，這間咖啡館有個大布幕會換季，季節永遠比實際晚了兩季，讓來喝咖啡的人跳脫現在的時間進行一趟想像的時光之旅。不過咖啡館沒有開成，因為發生九二一地震，被台大教授謝志誠找去加入九二一震災重建基金會，投入重建工作，奇特咖啡館至今還是心中一個美麗的夢。

台灣閱讀文化基金會的「愛的書庫」，借助老師們的力量來推動閱讀，王俊凱認為，小朋友若能從小開始培養閱讀習慣，不管長到多大、身在何方，什麼時候想看書都可以很快悠遊書中世界。他自己就是最好的例子，因為至今仍維持每天閱讀的習慣。

對於「愛的書庫」，王俊凱說：「不視自己是資金的捐贈者，也非針貶方案的評審，而是一起進步的夥伴，於是問題永遠只有一個，不斷詢問自己還能做些什麼？」流露出推動閱讀的使命感。

學生最愛的藍色超人叔叔

「藍色超人」是新竹物流司機先生的另一個暱稱，不只因為穿著藍色的制服，更因為是這群辛勞的司機們，願意花時間和心力為愛看書的學子們，運送一箱箱沉甸甸的書，充實這些孩子的心靈、開闊他們的視野。感受到小朋友的感謝和尊敬的心情，南投區的「藍色超人」曾聖元說：「被叫超人有點不好意思，但不能否認內心其實挺開心的！」

新竹物流司機代表　曾聖元

曾聖元算是新竹物流公司資淺的一輩，年輕的他理了個大平頭、戴耳環，與前輩的造型完全不同，曾被所長預測做不到三個月就會離開，想不到一直做下來，進公司已超過三年。平日跟其他新竹物流的司機們一樣，上班時要跟時間賽跑，在一定時間內將貨物送達，還要依網路的派單，到各學校收「愛的書庫」的書箱，再送到登記借閱的下一所學校。他說，送書箱到學校大約三天一次，一次平均要送五箱書，因為是抱著「做公益」的心情，從不覺得累或煩，而且常常收到小朋友的回饋，獲得意外的驚喜，尤其是小朋友精心設計的「另類教師節」活動，更讓他感到無比溫暖。

難忘的另類教師節

「進公司不算久，但已經過了兩次特別的另類教師節！」曾聖元說這句話時嘴角帶

新竹縣埔和國小每年都挖空心思舉辦另類教師節

著笑。他表示，兩次過節活動都是集集國小師生精心設計的，第一年是在沒有心理準備下，被學校請到活動中心，並且在掌聲中上了台坐在台中央，聆聽學生推派的代表唸感謝文，接著有兩名小朋友出現，分站在身後的兩側，然後用他們的小手在自己的肩膀按摩了起來，一下子揉捏，一下子搥打，按摩還未結束，又有一個小朋友上台奉茶。第一次被請上台，第一次在大眾面前被按摩，被當英雄般地感謝，剛開始真的好害羞，還好皮膚黑沒被發現臉紅，當時只想趕快結束這個另類教師節的感恩儀式，可是事後回想卻開心又溫暖。

第二次過另類教師節，是在二〇一五年的教師節前夕。有了前一年的經驗，雖然上台還是覺得害羞，但已經沒有不自在的感覺，比較能感受小朋友在台上跳舞、朗誦謝卡的可愛心意，還有這次是以表演代替前一年的按摩和奉茶，自己從主角變觀眾，心情輕鬆了，更能享受小朋友精心安排節目的歡樂氣氛。

年輕一輩的曾聖元對另類教師節有暖暖的回憶，資深前輩北區新豐所的「藍色超人」鍾元雄也一樣，提起另類教師節活動就開心不已。他透露，從二〇一一年開始，幾乎每年都會享受一次過教師節的快樂，新竹縣新豐鄉埔和國小每年都挖空心思舉辦另類教師節活動，以二〇一五年為例，這一年的慶祝方式是小朋友穿上超人裝，並安排一個班吹奏笛子，以表達對「藍色超人」的感謝。

運送書箱，傳遞快樂

對曾聖元和鍾元雄而言，不只每年的教師節感到快樂，平日幫「愛的書庫」運送書箱也是件開心的事。資深的「藍色超人」鍾元雄說，很支持公司的這項公益行動，每次搬運書箱都覺得自己又多做一件好事，而且車子一進校園，心情就特別輕鬆。即使有的小型學校人力不足，要獨力把書箱扛上樓，還是感覺快樂，因為不斷會有小朋友開心大喊「叔叔好」、「客人好」，有人還會先立正站好再打招呼，記得還有一個小女孩會說「叔叔，你好帥！」。小朋友的回饋，讓婚姻有挫折的他，不只暫忘生活中的不愉快，且每回到這些學校送書，都算是充電之旅，感覺心靈被洗滌過，忘記工作的疲累。

高雄市前峰國小師生設計的「另類教師節」活動

曾聖元則對集集國小一個低年級男生印象深刻。他說，那個小男孩特別喜歡「藍色超人」，只要一看到他進校園就會跑過來聊天，仔細地詢問「藍色超人」幾點上班、要做哪些工作，還對貨車非常好奇，常問「車子裡放什麼？」，彷彿車門一打開就會有寶藏掉出來。而看到自己要上車離開學校時，還會叮嚀「下次還要再來喔！」，每次都被他的天真可愛模樣逗笑，接下來的送貨行程感覺都變輕鬆了。

包括曾聖元在內的新竹物流的司機先生們，是從二〇一一年開始被小朋友叫「藍色超人」，也是那一年開始過「另類教師節」，而這樣的構想來自新竹物流前CSR總監王俊凱。當年負責這部分工作的他認為，工作中增加運送「愛的書庫」的書籍，雖然司機們都知道這是與公司一起做公益，但的確會加重他們的工作量和工作時間，為了讓司機們認同感更高，同時也希望接受服務的學校師生記得向這些辛苦的司機先生感謝，在與台灣閱讀文化基金會執行長陳一誠等人腦力激盪後，幫這群穿藍色制服的司機們想出「藍色超人」的稱號，也讓他們被學生視為送知識給他們的「另類教師」，鼓勵這些加入借書行列的會員老師們，與學生一起設計「另類教師節」活動。而新竹物流也會在十二月耶誕節前回禮給這些學校或班級，幫「藍色超人」向師生們致謝，禮尚往來的過程，對學生何嘗不是另一種學習。

無怨無悔，樂在公益

「過去送貨司機的社會地位不高，很難變成矚目的明星！」王俊凱說，新竹物流的司機們自從被叫「藍色超人」，又在教師節變成主角，過另類教師節，司機們的反應都很好。曾有司機被自己女兒的學校以明星般的待遇為他設計節目，送上感恩禮物和卡片，他當場感動到淚灑會場，因為這位司機從小到大不曾享受過這種榮耀，而能夠在女兒面前變成英雄，既光榮又感動。

王俊凱所言不假，多數貨運司機沒有高學歷和特殊技能，當然在近年來普設大學後，年輕一輩念大學的人數大增，新竹物流公司的司機已經有大學畢業生，但人數仍不多，以規模較小的南投所為例，貨車司機三十五個，有大學畢業學歷的五根手指數得完。南投所業務主任顏武郎說，曾聖元第一次應徵送來履歷，發現他科技大學畢業，且父親曾擔任多屆縣議員，家境不錯，根本不缺錢，直覺他無法勝任司機工作，當下就決定不錄用。不久曾聖元又來應徵，便直接告訴他：「這工作很辛苦，你做不來的！」想不到過沒多久又第三次應徵，他願意為一份工作應徵三次，誠意感人，才決定用他。而他進公司後表現很好，高學歷和好家世背景，並沒有變成他從事勞力工作的絆腳石。

曾聖元與其他司機的工作從上午七點不到就開始，上班日大約在六點四十分到站所，下午兩、三點送完貨物後，還要去收客戶寄送的貨品，下班常是夜幕低垂時分。原本的工作就不輕鬆，還要配合公司的企業社會責任，為「愛的書庫」送書，但曾聖元認為送書時心情很愉快，甚至會期待進入校園後見到小朋友開心的模樣。「藍色超人」們對增加的工作多持正向回應，讓一心促成新竹物流運送書箱的王俊凱很感動，他表示，公司一開始擔心司機會有怨言，幸好這群可愛的「藍色超人」也都抱持「做公益」的心態，讓「愛的書庫」數以百萬計的書籍能快速準確地送到借閱的師生手中，甚至像南投所還有專人處理「愛的書庫」的書籍，感覺比公司還要投入，每回一想起，便感動不已，

台中市九德國小師生感謝藍色超人的付出

對這些司機們充滿感激。

「做公益是新竹物流領導者感興趣的事！」南投所業務主任顏武郎說，司機們對於送書箱到學校的工作習以為常，因為大家知道老闆把「做公益」當成企業責任，也看到站所行政人員三不五時會去探望獨居老人，自掏腰包買禮物，大家有一個共同的想法，那就是「既然是好事就繼續做下去」，幾年下來，做得也很開心，更加樂在工作。

小螺絲釘卻是孩子的心靈避風港

安佃國小位在台南古都邊陲地帶，是台南市最早設立的「愛的書庫」。謝育靜五年多前開始擔任學校圖書館管理員，也兼任「愛的書庫」管理員。校長何志中說：「學校的孩子有不少來自弱勢家庭、外配家庭，家長陪伴、支持比較少，學校希望能靠圖書館和『愛的書庫』的書籍，以及老師帶動的班級共讀，讓孩子們快樂地徜徉在書海裡。」而謝育靜負責管理圖書館和「愛的書庫」，付出心力非常多，不僅細心、負責，對小朋友也極有愛心與耐心。

台南市安佃國小「愛的書庫」管理員　謝育靜

台南市安佃國小「愛的書庫」管理員謝育靜，在眾人眼中是「非常認真負責而且很有愛心」，但因身體有一點小缺陷，台灣閱讀文化基金會的工作人員擔心她會不願意接受採訪。原來這個「小缺陷」指的是她有唇顎裂，在與她電話聯繫後，發現她說話雖不是字正腔圓，但每句都能清楚聽懂，心中的忐忑總算放下。

書單開出，使命必達

安佃國小的何志中校長用「使命必達」來形容謝育靜，不管老師想借什麼書，書單開出，她總能順利借到。聽到校長稱讚她「使命必達」，謝育靜露出羞赧的神情，她說：「開放借書的那一天，不到凌晨零時就在電腦前等待，零時一到就火速上網借書，絕對不能有所遲疑，我希望能把所有老師想借的書都借到，萬一有幾箱沒有借到，還要再等

看到孩子開心的搬運書箱，期待共讀的喜悅，即使犧牲睡眠也值得

兩個月啊！」聽她娓娓道來，神情雲淡風輕，彷彿在說一件稀鬆平常的事，小朋友拿到自己想看的熱門書籍時，可能都不知道是「育靜阿姨」犧牲睡眠時間換來的。

校長何志中稱讚謝育靜管理「愛的書庫」極為用心，從儲藏室、書箱到每一本書都乾乾淨淨，老師、小朋友習以為常，但這可是謝育靜花了很大氣力才有的成果。

要讓書庫、書箱到書本都乾乾淨淨，是很不容易的事，謝育靜說，她喜歡東西乾淨整齊，也希望學校的小朋友，或是將來借用安佃國小「愛的書庫」書籍的外校學生，都有乾淨的書可以看，因此每次書箱歸還回來，或是每年的寒暑假，就會針對書庫裡所有的書箱進行清潔工作。她會把所有的書籍搬出箱子，用水清洗書箱，如果乾旱缺水期就改用擦拭方式，但不管清洗或擦拭後，都得拿到陽光下晾乾，再將所有的書一一裝箱。裝箱前，有小破損的地方也會進行修補，所以寒暑假她都會很忙。

那麼，需要搬幾個書箱下來清潔呢？「九十三個！」這個數字讓人嚇了一跳，九十三箱書對身材瘦弱的她來說，真的是沉重的負擔，但她似乎做得很開心。她說：「小朋友拿到乾淨的書，一定會讀得更有勁！」身為「愛的書庫」管理員，她在認真、負責之外，更多了貼心。

坦然面對，克服挫折

謝育靜很喜歡小朋友在下課時間圍在身邊吱吱喳喳，而為了跟他們做朋友，學校國小部三百二十六個學生，幼兒園二十七個幼童，她幾乎都認得，並能叫出名字。只要有空暇時間，一定會翻閱書庫裡借來的書，受到感動或自己很喜歡的書，在與小朋友聊天時便熱心的推薦，有一些人會因為「育靜姊姊的推薦」，認真去閱讀她推薦的書；而小朋友跟她分享的書，她也會抽空閱讀，希望貼近孩子們的心。每當有小朋友找她分享讀書心得、生活點滴，更是她一天中最快樂的時光。

謝育靜因為有唇顎裂，身體上的小缺陷讓她在童年過得很不快樂。她說：「小時候的我很自卑、也很孤單，希望安佃的小朋友不用去體驗這種心情！」原來小時候因唇顎裂伴隨而來的是口齒不清，童年時期會因玩伴們的不了解而遭致嘲諷或歧視，「上國小時常因害怕而在教室裡大哭，大人會以『再哭就打你』的話來嚇阻，但此語一出，自己就更害怕，哭得更兇！」

「在人多的地方，常不敢開口，感謝爸媽引導我坦然地面對人群！」謝育靜透露，父母對她的教養態度一直很陽光，不但不刻意保護，還鼓勵她早一點面對人群，因此二十幾年前她高中畢業的第一份工作是當美髮助理，每天幫客人洗頭、吹頭，不只要與很多人接觸，還得開口跟他們溝通。「一開始有客人說聽不懂我的話，我曾經挫折得想辭職！」而父母總是勸她「再試試」、「找方法改善」，當時曾覺得爸媽心腸很硬，把女兒丟到叢林裡去冒險，但是一次、兩次的挫折後，慢慢地會思索並嘗試改變的方法，發覺自己進步得很快，也沒有原先想像的脆弱。

做過美髮師，也在棉織行做過行政助理，並曾進工廠當過作業員，謝育靜說，父母

不因自身的小缺陷而阻礙那份對人事物都用心及願意付出的心，並透過互動，將正面能量傳遞給每位師生

給她的工作準則就是「面對人群」，而在這些工作的歷練後，終於不怕別人盯著她看，也不怕在人前說話了！

帶來安定的力量

謝育靜憶起一件往事，好幾年前曾有一個小女孩不斷地盯著她看，然後天真地問：「阿姨，你說話方式為什麼跟我們不一樣？」面對童言童語，她坦誠地告訴小女孩：「阿姨生下來就有唇顎裂，嘴巴有一條小裂縫，所以說話會跟你不一樣！」「阿姨，那你會不會痛？」小朋友聽完後態度從好奇轉為關心，讓謝育靜非常感動，「原來每個人的心中都住著一位天使」，從那一天開始，她決定用更開朗、樂觀的心來面對身邊的人。

因為自己曾因先天缺陷而自卑過，謝育靜在安佃國小做的不只是「愛的書庫」及學校圖書館管理員的工作，還扮演輔導者的角色，幫忙安撫哭鬧的孩子。有個學習障礙的小女孩，在教室裡拚命地大哭，謝育靜在徵得導師的同意後，帶她到教室外散步，兩人一開始只是安靜地走著，並不急著追問女孩哭泣的原因，這樣的態度讓女孩安心，五分鐘後便停止哭泣。

「這個孩子心裡害怕才會哭，我小時候也有過這種情況，所以能了解她的恐懼和無

台南安佃國小的米寶寶書坊

助！」謝育靜將自己身體缺陷造成的自卑，轉化成關懷有類似遭遇孩子的動力，而她這股讓人安心、安靜的力量，也常運用在其他不受駕馭的孩子身上。她說：「有的小朋友無法好好地待在教室裡，在徵得老師同意後，我會帶他到圖書館，介紹幾本自己覺得好看的書，通常小朋友不會依我的建議，而是自己挑愛看的書，而在那一刻，他的心也安定下來！」難怪校長不斷地稱讚：「育靜擔任『愛的書庫』和圖書館的管理員，是我們安佃國小的福氣。」

愛的延續，書香傳遞

謝育靜

當收到台灣閱讀文化基金會的工作人員來信邀約，希望能安排十週年文集受訪事宜，心中很訝異，也不斷想著，我真的可以嗎？不可否認的，當時不敢貿然的答應，也是因著那身體上的小缺陷。認真的思慮，從婉拒轉為願意，我心中感謝上帝，更感謝台灣閱讀文化基金會及學校長官，讓我有機會可以為「愛的書庫」略盡棉薄之力。

我代表的不只是安佃國小「愛的書庫」書庫管理者，我希望能藉由我的小小分享，讓更多人認識「愛的書庫」，讓更多人重視、了解偏鄉小學在閱讀這個區塊的需要，為每個孩子多盡一份力量。我想這也是我在學校擔任「愛的書庫」管理者，這些年心中所盼望的。

學習的重要知識來源

記得剛進入學校，手上第一個交辦事務，就是學校圖書館及負責「愛的書庫」書箱管理借閱。學校的圖書館是兩間教室大的空間，圖書館後方有一整排角鋼架櫃，每一排架列上放著整齊的白色書箱。共有九十三箱。每一個箱內都是放著四十本同樣的書本，一開始不懂這些書箱的來源及用處，更不明白其中的用意。後來成為學校「愛的書庫」管理者，才慢慢的有所了解。

　　原來這些書箱是台灣閱讀文化基金會集結許多人的力量及奉獻，來幫助學生們學習的重要知識來源。第一次看見這麼多的書箱、書本，心中有著滿滿的感動！感動並非因這一切資源是免費的，而是我知道，每一個書箱內裝滿的不只是書本，更是許多人對孩子的愛與希望。在閱讀教學這一塊，對於偏鄉孩子是很需要的。

師親生互動聯繫的橋樑

　　雖然安佃國小在大台南算是偏遠地區的小學校，但印入眼簾的圖書館，可稱麻雀雖小五臟俱全。校長不只重視小朋友在課業及生活品德上的一切，也常鼓勵小朋友要多閱

每一個書箱內裝滿的不只是書本，更是許多人對孩子的愛與希望

讀課外書本。然而礙於經費及資源，即使學校有心要去做推動，也常常無法盡心力去完成。

二〇〇七年安佃國小成為「愛的書庫」的中心點，學校藉由「愛的書庫」共讀分享、大手牽小手，透過老師的導讀以及讓班上同學共讀的方式打造新閱讀運動。近幾年來，學校更將閱讀往外分享，推動閱讀風氣，實施閱讀護照活動，建立閱讀小博士、小碩士、小學士的獎勵。

老師們也會透過「愛的書庫」所提供的線上書本教案學習單，引導孩子在閱讀書本後，延續心得討論及分享。愛的書箱不只運用在班上共讀活動，也試著讓孩子將書本帶回家進行親子共讀，將閱讀活動延伸。這樣的閱讀推動，不僅是拉近了親子間的關係，更是幫助師親生互動聯繫的一座橋樑。

讓每個孩子看見愛與希望

成為學校「愛的書庫」管理者這些年的時間，每當看見孩子們認真閱讀書本，流露出純真的笑臉，在課程學習中有領會，在課堂上也願意彼此分享，這一切都讓我的心中充滿喜樂與幸福。

閱讀最重要的推手除了老師、各個學校書庫的管理者，還有一群默默在背後為每個書庫的流通轉運及事務規劃，無私奉獻自己、不遺餘力的工作人員。衷心感謝每一個人，因為有大家的愛與奉獻，豐富了每個孩子的生命；因為有大家的默默努力，讓每個孩子看見愛與希望。

流淚撒種的，必歡呼收割！相信愛的延續，書香傳遞，是帶給更多人滿滿祝福的開始。

基礎科學教育的築夢工程

台師大物理系同班同學王昭富和蘇裕年將退休規劃的閒聊付諸具體行動，兩人開車載著偉大物理學家法拉第故事書和一車的實驗器材，不只跑遍台灣偏鄉學校，還飛去馬來西亞檳城，為檳吉台灣學校學生上了兩次課。從二〇一五年十月到二〇一九年八月，兩人開車的里程數已繞台灣好幾圈，而為學生說故事、上好玩的物理實驗已有一百七十七場。王昭富說：「因為愛的書庫的推手台灣閱讀文化基金會，才成就這件美事！」

台中一中、虎尾高中退休老師　王昭富（右）與蘇裕年（左）

「故事是這樣開始的……」，在所有活動中負責說法拉第故事的王昭富，說起這段「愛的書庫」與「偏鄉科學教育」結合的故事，也充滿魔法式的戲劇張力。今年五十五歲的王昭富和六十一歲的蘇裕年兩人都住中部，念書時常相偕搭火車返鄉，感情自然也好，當老師後也會一起參加同學會，從教學經驗和家庭生活分享，二十多年後兩人開始聊到退休的規劃，就在二〇〇七年參加完大學同學會後，蘇裕年說退休想去偏鄉開計程車，王昭富則希望去山上推展科學教育，蘇裕年笑著說：「那我以後開計程車送你去好了！」當時的閒聊彷彿在地裡撒下一顆種子，想不到二〇一五年萌芽了。

把科學博物館送到眼前

這對交情好的大學同學，都在二〇一四年的八月分別從國立台中一中和國立虎尾高中退休了。隔年二月初，印尼泗水台商學校高中部的物理老師懸缺已久，當年有一個高三學生想回台灣念大學，但得先考僑生考試，泗水台商學校希望台灣能有物理老師到該校去教這名學生到四月，台商學校的校長經人輾轉介紹找到了王昭富，希望他能幫忙引薦老師過去，王昭富便在他的大學同學群組PO了這個訊息，有位同學率先響應先過去一個月，第二個月由王昭富接手，擔任最後一棒的蘇裕年到泗水時，大部分課程都已結束，上課時間便以學校現有器材讓學生玩一些靜電遊戲，想不到造成校園轟動。而這次赴海外台商學校短期教書的經驗，讓他倆知道當年說的「退休後推展科學教育」，似乎不是無法實現的夢想。

曾說退休後想到偏鄉開計程車載老人看病的蘇裕年，從虎尾高中退休後的隔年五月，就接到在宜蘭羅東擔任國中校長的大學同學沈如富的電話，表示暑假要邀請虎尾高中TEAL創意互動教室教學團隊來上課，蘇裕年則邀王昭富共同前往。就這樣，兩人又聚在一起上課，教暑期營的學生做有趣的實驗。

蘇裕年老師介紹實驗器材

每天的暑期營課程結束之後，王昭富就跟蘇裕年一起去散步，兩人聊起 TEAL 創意互動教室和退休之前說的「退休後推展科學教育」，聊著聊著，王昭富便想到曾在英國倫敦看到的標語：「你不來科學博物館，我就把科學博物館送到你那兒！」可是學生必須要到虎尾高中才能使用該校的實驗器材，兩人無法將一整套的實驗器材載著到偏鄉去上課，王昭富便提議寫申請書向廠商募集，而這樣的提議卻碰了不少釘子。幾番波折後，王昭富非但不放棄，還愈挫愈勇，經人介紹找到美律實業公司老闆，也是台灣閱讀文化基金會董事長的廖祿立，廖祿立董事長聽了王、蘇兩人的理想很受感動，認為「愛的書庫」應該可以跟兩人的理想擦出火花，這一次會面後，很快地基金會執行長陳一誠就主動聯絡。

啟動「霧裡fun魔法」

「見面那天我帶著台大教授張文亮寫的《法拉第的故事》同行！」王昭富回憶，當時他向陳一誠建議「愛的書庫」購買並推廣閱讀這本書，由他和蘇裕年到偏鄉學校，先講法拉第的故事，再帶學生做實驗，兩人義務到學校說故事和帶實驗，但需要買實驗器材和交通、食宿的經費。當時一年的預算，不含買書，買實驗器材和交通、食宿費合計是四十餘萬元。陳一誠其實很有興趣，希望「愛的書庫」能從語文閱讀擴及到科普書籍的閱讀，但礙於台灣閱讀文化基金會規定，只能補助購買書籍，就在王昭富感覺「應該不會成功」之際，陳一誠想到長期贊助「愛的書庫」的新竹物流公司，便與時任該公司CSR總監王俊凱提及此事，並很快地就約王俊凱到台中，讓王昭富當面解說他和蘇裕年的想法。

王昭富赴約前得知王俊凱是小舅子的同學，已請小舅子先向王俊凱推薦了他的計畫，因此約見面的那天，當王昭富還在構思如何說服對方的講稿時，王俊凱已阿莎力地說：「新竹物流公司願意協助！」那天中午與王俊凱、陳一誠的小火鍋會，王昭富因為太開心，根本忘了火鍋的滋味，只記得見面會一結束就打了電話給蘇裕年，興奮地說：

「我們成功了！」

就在台灣閱讀文化基金會提供書籍、新竹物流贊助購買器材和交通費的模式下，王昭富與蘇裕年取名為「霧裡fun魔法」的偏鄉科普教育，終於在二〇一五年十月展開，

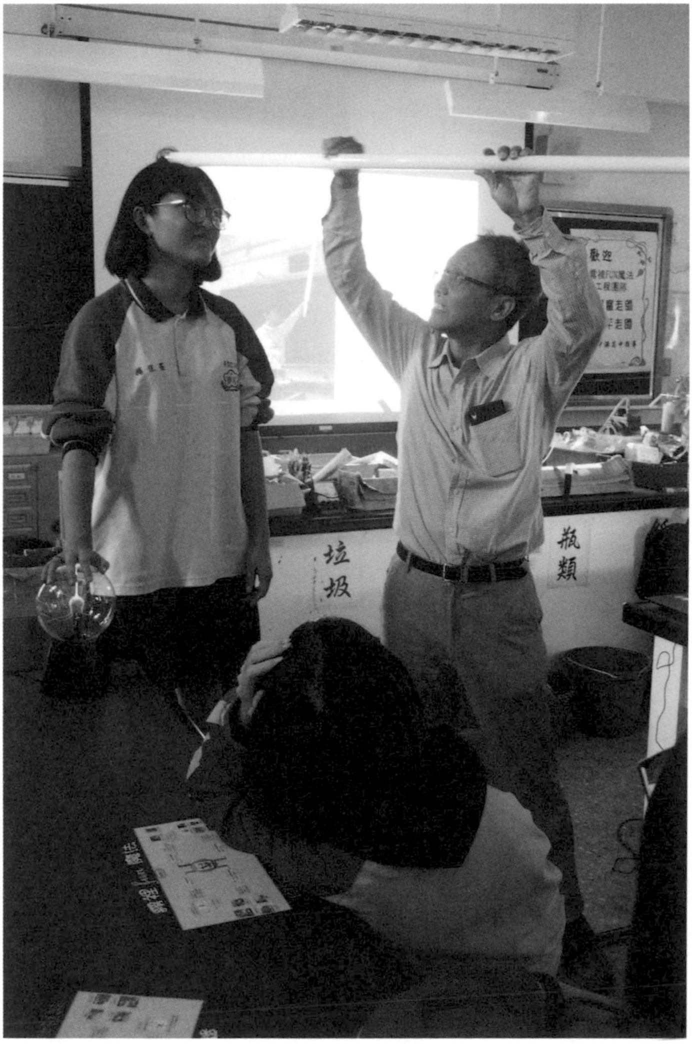

蘇裕年老師帶實驗時先講解做法

第一所學校是苗栗縣苑裡國小，從此魔法課程沒有斷過。「第一年fun魔法是由新竹物流公司指定學校。」王昭富說，獲得贊助經費的第一年，指定要有平板電腦閱讀的高年級班級，但這樣的學校很少，指定完成十所學校卻只有三所符合條件，後來與蘇裕年商量，並獲新竹物流和台灣閱讀文化基金會同意，再找其他學校來上，第一年下半年和第二年合計約一年半時間，原本要辦二十七場，但開放報名三天，就有一百四十個班級報名，到截止日已增至一百七十九個班級，最後因經費和時間的考量，從原本要辦的二十七場增加到三十場。後來陸續有別的贊助經費進來，「霧裡fun魔法」活動到二〇一九年八月底，在全台灣加上馬來西亞合計辦了一百七十七場活動。

老師，你們什麼時候再來？

這對相識數十載的大學同學，合作了三年多可說默契十足，王昭富說著貧窮少年法拉第如何自學成為偉大的科學家，以及他把錢都捐助給窮人的俠義故事，故事一結束，蘇裕年接著帶實驗，王昭富火速從說故事的主角變成帶實驗的助手。看似嚴肅的蘇裕年只要一帶實驗，彷彿變了個人，面對不同年齡層的學生，總能在短短時間內，把學生逗得笑聲震天。而每場三小時的活動，說故事、帶實驗幾乎沒有休息，但課堂內除了

蘇裕年老師帶實驗，王昭富老師從旁協助

笑聲、驚呼聲，學生不曾問過：「什麼時候可以下課？」而當三小時課程結束後，學生們都會不捨地圍著王昭富和蘇裕年問：「老師，你們什麼時候再來？」

王昭富和蘇裕年開著一部車全台跑透透，台灣本島的縣市幾乎全都去過了，二〇一七年更因台灣閱讀文化基金會執行長陳一誠拜託，多留一點時間給台東的學生，因此從二〇一七到二〇一八年下半年，他們跑了台東二十多所學校，每次去就待一個禮拜。他們說，白天說故事給小朋友聽，晚上住在民宿，聽民宿老闆說社區的故事，每次都帶著滿滿的感動回家。蘇裕年說，最難忘的是到台東縣鹿野鄉瑞源村，兩人曾半年內兩度到瑞源國小上「霧裡fun魔法」的課程，這個偏鄉小村落發起成立「瑞源小學堂」課輔中心，用機車行的房子當課輔中心，弱勢的小朋友晚上有人陪做功課，還能帶著早餐兌換券回家，隔日一早可到早餐店兌換一份早餐，如此的愛心與關懷讓人心頭一暖。在瑞源村的那幾天，心中充溢著幸福感，一種「有心人遇到有心人，相知相惜的幸福」。

深入偏鄉推廣科學教育

王昭富則是看到偏鄉教育的困境，他說，跑了那麼多地方，最大心得就是「台灣好美，族群好豐富，但城鄉差異也好大」，不管是山上或是平地，偏鄉學校都面臨學區內學生流失的困境，經濟較好的家庭，很多都選擇讓孩子越區就讀，留下來的多是弱勢學生。記得曾在一所偏鄉學校上魔法課，門口站著五歲的小男孩，探問後才知是某個學生的弟弟，因家中無人可照顧幼童，小小孩會跟著兄姊到學校，而那天為了能讓在教室裡的學生安心上課，便讓五歲小男童進教室，跟著大家一起玩。而幼小的弟妹跟來學校的情況不只出現在一所學校，不少偏鄉的弱勢學生，小小年紀就要為父母分擔責任，沒錢也沒時間去科學博物館感受科學的有趣。看到這一幕，更加強化他們繼續深入偏鄉推廣科學教育的念頭。

「霧裡fun魔法是蘇裕年和我的築夢工程。」王昭富說，兩個學物理的退休老師，有著「沒有科學教育死角」的夢想，雖然「霧裡fun魔法」的課程一次只有三小時，無法提供很多東西，也無法讓孩子們從此愛上物理課，但希望透過說故事、做實驗、玩遊戲的課程，能在孩子們的心中埋下一顆種子，相信這顆種子總有一天會發芽。

除了講法拉第的故事，二〇一九年開始，王昭富老師也加入伽利略的故事，伽利略是義大利物理數學天文哲學家，做實驗發現自由落體定律改進望遠鏡及其帶來的天文觀測。說完感人的故事後，蘇裕年老師會加入與伽利略有關的實驗，讓兩人的科學教育內容更為豐富。而兩位老師的觸角也更寬廣，不只在高中、國中、國小，二〇一九年四月他們也應國立彰化師範大學物理系之邀，讓未來的老師們在驚呼聲和笑聲中了解「原來上課也能這樣有魔力！」王昭富說，這些未來的老師是科學教育的生力軍，相信他們撒出的種子會更多也更遠。

愛的回響

「霧裡 fun 魔法」台東行

王昭富

「老師，你們下次還會來嗎？」

期待的眼神，流露在小朋友意猶未盡的臉龐中。

化夢境為真實

結束馬來西亞檳吉台校的課程，二〇一六年十二月十一日凌晨兩點才回到家。為了「霧裡 fun 魔法」，十二日上午十點多，在高鐵雲林站坐上蘇裕年老師滿載實驗器材的休旅車，前往台東。雖然身軀略顯疲憊，雖然路途遙遠，雖然四天八場是一個全新的體能挑戰，但是為了基礎科學教育的築夢工程、為了台灣閱讀文化基金會的台東縣閱讀深耕計畫、為了台東的美景，我們馬不停蹄，繼續向前。

太平洋的海風，帶來西部人冬天最渴望的清新空氣。面對碧海藍天和一波波的白色浪濤，我們早已忘卻肉體上的疲勞。

回想一年半前，兩個歐吉桑，夢想著滿載實驗器材，踏遍台灣的山巔海濱，讓小朋友親眼目睹、親身體驗電與磁的奧妙，認識法拉第的偉大。一年多來，夢境逐步化做真實。我們走過台灣的漁村和部落，在五十多個學校中，看到小朋友的燦爛笑容、聽到小朋友天籟般的笑聲，飽覽台灣的山水風情，體驗台灣原住民、閩、客、新住民的多元文化，還可以推廣人文閱讀與科學教育……。這麼豐富的人生經驗，都是因為二〇一五年七月台灣閱讀文化基金會促成新竹物流贊助經費，讓我們「霧裡 fun 魔法」的築夢工程得以順利推展。這次的台東行，是我們化夢境為另一個真實，當然要奮力向前！

王昭富和蘇裕年這對交情好的大學同學推展科學教育不遺餘力

動手做實驗，互動樂趣多

十三日上午，南王國小牆上的壁畫令人印象深刻，音樂課悠揚的歌聲

王昭富老師不只說故事也協助帶實驗

伴隨我們佈場，這是一所卑南色彩濃厚的小學，小朋友的熱情參與當然不在話下。上完課，帶著學校幫我們準備的便當，驅車前往光明國小。在學校外面匆匆吃完便當，開始準備下午的課程。這所原本為台糖員工子弟設立的學校，學生素質很高。有一名學生，搬器材時看到范氏起電機和韋氏起電機，就已興奮到不行了。校長是自然老師出身，上課前先來體驗范氏起電機的魔力。從師生的反應，不難想像這所學校對自然科學的熱情。

十四日一早，驅車前往視野遼闊的瑞源國小。學校的操場很空曠，小朋友和陽光一樣熱情。在蘇老師召喚下，一名勇敢的學生上台準備觸摸會冒出火花的短路電線，妹妹擔心姊姊的生命安全，坐在台下不斷拭淚，姊妹情深令人動容。下午的鸞山國小，木板上的板曆告訴我們這是一所布農族的學校。老師很熱情想參與、想推廣，可惜校長心態保守，怕影響學生正常學習，要求安排我們星期三下午到校，結果老師被調去研習（心不在焉），高年級學生幾乎都回家了，我們整個下午花最多的功夫和小一、小二生玩。人少、年齡小，但是我們的課程沒有縮水，小朋友的笑容也一樣燦爛。老師則利用研習的下課時間衝過來參與，課後還問了不少問題。

十五日上午，回到南王國小旁的卑南國中，學校中的運動校隊不少。教務主任號召多位自然老師到圖書室參與課程。學生較成熟，反應更熱烈，整個場面 high 到不行。下午的馬蘭國小在台東市中心，校地狹窄，學生數多，略顯擁擠。我們被安排在原教室上課，到場時學生還在用午餐，只得等他們用完餐離開教室再行佈場。但學生桌椅底下寶物繁雜，我們為了佈場就煞費苦心。一名男生從頭到尾怕電不敢玩，最後的牽手 fun 電，老師激勵他：「你是排灣族的勇士，怎麼可以害怕呢？」學生立刻雙手握拳，振臂吆喝，上前和大家一起 fun 電。勇士的頭銜，想必擁有一股神奇的魔力。

老師還會再來！

十六日是最艱難的行程。早上在金峰鄉的嘉蘭國小，上完課要在兩小時內趕到距離七十分鐘車程的延平鄉武陵國小，還包括午餐時間。嘉蘭國小的陶壺告訴我們這裡是排灣族的部落，中高年級四個班的學生齊聚在活動中心，兩個歐吉桑卯起勁來繼續和他們玩一個上午。幸好老師都在旁幫忙，否則我們真的很難掌控全局。中午經過初鹿，用過便餐，匆匆趕到此行的最後一所學校——武陵國小。路上兩人互相打氣：「再過三個小時我們就圓滿完成任務了，加油！」課程開始，我以不太標準的布農族語"min ho misang"向同學問候，獲得同學熱烈回應。原以為課程可以順利結束，沒想到最後一道菜端出來的時候，才發現范氏起電機的壓克力管被摔斷了！這下可好，最精彩的節目可能沒辦法順利表演了！所幸一名替代役男上來幫忙撐住壓克力管，蘇老師以手搖方式起電。最後同學們依然看到女同學的魔髮直豎，大家也都能順利牽手集體fun電。四天八場的密集課程，到此告一段落。

離開延平鄉，回台東市過夜，隔天我們就要打道回府了。巧合的是，臉書通知我，二〇一五年的十二月十六日，我們曾在台東的初鹿國中「霧裡fun魔法」，沒想到一年後，我們能夠舊地重遊。加上暑假的大武國中與賓茂國中，我們居然在一年內走訪台東十一所國中小！

台東好遠，心好近！

「老師，你們下次還會來嗎？」這個問題，一直在我的耳畔縈繞……

從同學的反應中，不難看出對自然科學的熱情

王昭富老師樂於推廣科學教育，引導學生認識法拉第的偉大

愛的回響

讓一股愛在社會流轉

寫在二〇一八年聖誕教室之後　蘇裕年

「霧裡 fun 魔法」自二〇一五年七月成立至今，講過一遍又一遍法拉第的故事，聽到一次又一次小朋友的笑聲，走過一座又一座的村落，看到一幅又一幅的美景。每次談到法拉第利用聖誕節，對孤兒院的孩子講科學，再掏腰包買禮物，送給小朋友歡度佳節的聖誕教室主題時，總會不由自主的全身起雞皮疙瘩。一方面讚賞法拉第在科學上的巨大成就，一方面敬佩法拉第這種悲天憫人的偉大情操，更多的是感嘆自己望塵莫及的渺小。

催生「聖誕教室」

二〇一七年聖誕節，我傳了一則訊息給昭富，希望下一年的聖誕節，我們可以在台灣舉辦聖誕教室演講。我的想法是：先找愛心人士捐款購買聖誕禮物，我們幫忙將這些禮物送到孤兒院，順便對院童上一堂「霧裡 fun 魔法」的課程。

通常昭富收到我的想法後，就會努力尋找具體可行的辦法，然後付諸行動。

這一年中，我們真的找了許多管道，來推銷聖誕教室的想法，希望至少看到初步的成效。拜年初媒體報導之賜，這一年我們的贊助單位變多了。推廣綠能教育不遺餘力的台達電子文教基金會，邀請我們參與培訓種子教師的課程。八方雲集社會福利慈善基金會贊助經費，在北海岸的金山、蘆洲、淡水等地設立種子學校，添購器材、培訓教師，希望能將我們的電磁學課程推廣到鄰近各級學校。台灣閱讀文化基金會配合「愛的書庫」推展活動，邀請我們到花蓮、台東演講，九月中甚至還搭船到綠島的三所學校上課，順道享受天然的美景以及島嶼的熱情。加上原有的新竹物流、見性社會福利基金會等單位的大筆贊助款，我們在二〇一八年總共辦理五十四場的「霧裡fun魔法」課程，目前結餘經費超過四十二萬元。

熱心贊助者幫助圓夢

不過這一切，與我們推出聖誕教室的想法都還有些許距離。

所以，我們還是要繼續鴨子划水，努力尋找熱心贊助者。

幸好二〇一八年七月，我們找到兩位善心人士，答應各自資助一筆款項捐給慈善機構，幫我們圓聖誕教室的夢想。幾經思量後，我們選定了位於高雄六龜的財團法人私立基督教山地育幼院，以及位於埔里的財團法人私立台東基督教阿尼色弗兒童之家附設南

蘇裕年老師帶領學生做有趣的實驗

蘇裕年老師帶實驗時，學生都被老師的話語逗笑

投家園。原本想說這兩個地點可以方便捐資者一同出席，可惜時間上還是無法配合。我們僅能幫這兩位低調的捐款者——莊董事長與王副總經理，分別轉送愛心捐款。

十二月一日進行課程的阿尼色弗兒童之家附設南投家園，位於埔里近郊，園區內花木扶疏，環境優雅，院生學習態度佳、參與度高，活動過程老師與學生互動熱絡。十二月十六日拜訪的山地育幼院，位於較偏遠的高雄山區，歷史悠久，院長親切和藹，院生活潑有禮，師生間相處融洽，活動過程院生也都積極參與。兩個機構收容的個案，年齡分布都很廣，所以參與課程的院生，從幼稚園生到高中生都有。

永不止息的愛

活動進行中，大朋友和小朋友的互動，讓我看了非常有感。在六龜，一位幼稚園的小朋友不小心被電到（無害，但是受到驚嚇），在一旁痛哭。這時候起身安撫小朋友的，竟然是一位大哥哥。看到小朋友趴在高中生懷中，大哥哥輕拍小朋友的背，小朋友的情緒逐漸平穩，我的內心激動莫名。這些無依無怙的院生，從小在這樣的機構中成長，享受不到天倫之樂，卻更懂得照顧彼此。這股愛，真的是永不止息啊！

這兩場聖誕教室能順利完成，除了要感謝莊董事長和王副總經理的慷慨解囊，也要感謝信義鄉的全正明先生幫忙聯絡促成，還有立人高中盧新宇老師和曉明女中謝麗慧老師賢伉儷的協助。在六龜課程進行到一半時，巧遇一批當地善心人士，裝扮成聖誕老人進入院區發送聖誕禮物。看到院生流露出滿足與感恩的神情，瞬間覺得我們的社會充滿了希望。因為，有一股愛，不斷地在我們的社會中流轉。

多元文化的特色小學

台灣閱讀文化基金會因應台灣新住民人口和新台灣之子的增加，到二〇一九年共設立四座「多元文化書庫」，而首座就設立在嘉義縣溪口鄉的溪口國小，校長陳嫰慈說，溪口鄉的人口是全縣最少，但新住民媽媽所佔比率曾是全縣最高的鄉鎮，學校承辦嘉義縣新住民語言資源人力培訓工作，應該是這幾個原因，得以讓「多元文化愛的書庫」設在溪口國小。

嘉義縣溪口國小校長　陳嫰慈

嘉義縣溪口鄉位在兩條溪的匯流處，即三疊溪和華興溪交會口，古地名叫「雙溪口」，是個以種水稻、五穀雜糧為主的農業鄉。因其地理位置的關係，火車無法直達，長途客運也未在此設站，地勢雖平坦，道路也很寬敞，但若沒有交通工具，想來趟溪口國小就必須轉車。交通的不便，外來人口少，外流的卻多，二十年來這個全縣面積最小、人口最少的鄉，只有五年人口有小小的增加，其餘十五年皆是負成長，一年都有一%以上比率的減少，人口老化嚴重，年輕人口外流，學生越區就讀情況也不少。

拉近與新住民媽媽的距離

溪口鄉的新住民媽媽比例曾是全嘉義縣最高，溪口國小一〇七學年度全校學生有二百三十一名學生，新台灣之子佔了約三成，但這已不是比率最高的時期，校方透露最多曾佔全校學生的五成。現任校長陳孅慈是土生土長的溪口鄉人，她的父親曾擔任過溪口國小校長，讓她對溪口國小不僅是校友對母校的感情，從梅北國小調任溪口國小後，更肩負著傳承父親精神的使命感。陳孅慈說，學校的新台灣之子不像班上其他的同學，可以經常回外公外婆家，且也因為媽媽語言和文字的隔閡，有些孩子會認為媽媽不如人，甚至不太希望媽媽到學校，怕被同學貼標籤，因此她一直在思索，如何能讓學生們多了解這些新住民媽媽家鄉的文化，催生「多元文化愛的書庫」就是其中一個選項。

陳孅慈先前在梅北國小時爭取設置了「愛的書庫」，調任故鄉溪口國小後，也希望能在學校設置一座，因此在二〇一六年向台灣閱讀文化基金會申請設「愛的書庫」，也積極向基金會執行長陳一誠表達設立「多元文化書庫」的想法，兩人幾經討論，終於在二〇一七年母親節前夕設置了「多元文化書庫」。成立揭牌的當天，學校的新住民媽媽還把書庫裡的幾本繪本故事融合改編成一齣短劇，劇名取作「日久他鄉變故鄉」，傳達的正是這些新住民媽媽的心情。陳孅慈校長說，書庫的書籍以認識與了解不同國家文化歷史為主，由基金會挑選購買，裡面較多的是繪本，有的書還附上雙語CD，目前共有五十箱書籍。

「設置多元文化書庫後，感覺與新住民媽媽的距離更近！」陳孅慈說，書庫志工中有一位越南籍的新住民媽媽黎青春，她會來幫忙整理書籍，也會每週三到各班陪學生閱讀，還會在其他故事媽媽講故事時，在旁邊當助手，更讓人感動的是，儘管她認識的中文字不多，但只要看到學校在臉書分享活動訊息和學生優秀的表現，她常會留言回應「好棒」。

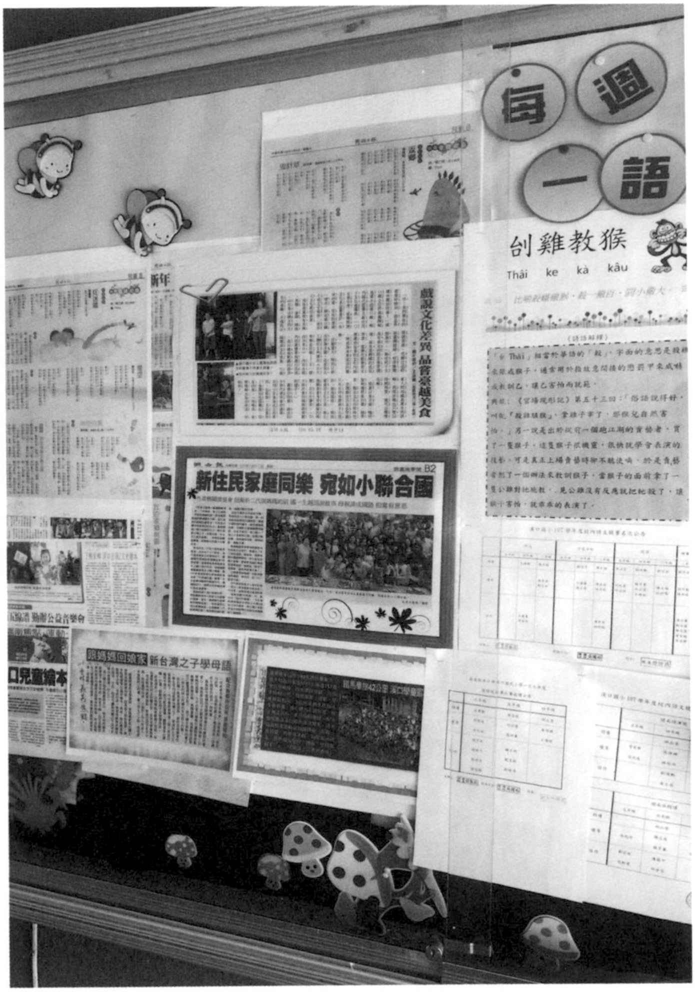

溪口國小的新台灣之子約佔三成，佈告欄貼著該校推動新住民文化的相關報導剪報

學生們樂於閱讀，主動幫忙整理書箱

了解多元文化的豐富內涵

溪口國小「多元文化書庫」設立後，所有的書箱幾乎是一開放借閱，就全部被借走，二〇一八年八月才調到溪口國小並接任書庫管理員的郭靜蘭老師表示，自己在校內也帶閱讀課，一開始聽到「多元文化書庫」，心裡有個OS：應該不會有很多老師來借！但接任書庫管理員後，才知道這些書箱相當搶手，搶手到連溪口國小的老師都借不到，她笑說：「拚了拚了！下次一定會半夜就守在電腦前等著搶書！」

溪口國小多年來一直很努力形塑學校是所展現多元文化的特色國小，校長陳嬂慈說，希望學生知道媽媽的故鄉很美麗，很值得愛與尊敬，更希望學生了解多元文化的豐富內涵，因此二〇一八年幫學生黃懷嫻和她的媽媽阮芳翠，申請移民署的「新住民子女海外培力計畫」，希望能雀屏中選，讓新住民媽媽帶著孩子回自己的家鄉，也讓孩子藉此機會向媽媽家鄉介紹台灣。錄取名單公布前，阮芳翠非常緊張，擔心沒有申請到，等公布名單確定被選上時，她還是緊張，擔心家鄉太落後，計畫同行的校長會不習慣。

「懷孄媽媽真的是讓人刮目相看的小巨人！」陳嬿慈說，此行除了阮芳翠一家三口和她，另外還有其他也申請到該計畫到越南的學生同行，全部九個人都靠阮芳翠張羅打點，尤其此行不只是阮芳翠母子返鄉團聚，還要拜訪當地學校，聯絡事宜全由阮芳翠接

溪口國小多元文化書庫，學生協助搬書箱

洽，本來是要訪問離阮芳翠家較近的「永祥小學」，但暑假期間學校的老師都回家種田貼補家用，學校無人可接待，阮芳翠只好動用親戚幫忙，最後才敲定訪問「永祥小學二」，而在訪問過程中也都由阮芳翠幫忙翻譯、溝通，一刻不得閒。

原來媽媽也有超強能力

陳嬿慈也說，芳翠的家從胡志明市搭車要六小時，下車後還要走十分鐘的路才能到達，真的很偏僻，而她的娘家前後都有小河，到親戚家還要划船過去，讓台灣去的人大感新鮮。而懷嫻和弟弟雖曾跟媽媽回過越南，但對媽媽的家鄉和親人了解不多，也是藉由這次培力計畫，才進一步了解媽媽的親戚們，例如說這趟去才知道叔公念國小的兒子，未來的志願是當警察，因為警察在越南的地位很高，收入也很好。

此行對懷嫻和弟弟來說，最大的收穫應該是見識到媽媽超強的能力，懷嫻返台後以「感覺媽媽變偉大」來形容越南行後對媽媽的觀感，她分享心得時強調，以前和弟弟都覺得媽媽笨笨的，什麼都不會，但到越南之後發現媽媽能力很強，把所有的事都做得很好。原來媽媽一點都不笨，只是在台灣把能力隱藏起來。

溪口國小繼設置「多元文化書庫」後，二〇一八年九月承接了嘉義縣新住民語言資源人力培訓工作，希望能培訓新住民媽媽成為語言老師。校長陳媺慈說，一〇八新課綱會有東南亞語課程，不只新台灣之子，其他有興趣的學生都可選修，而這些培訓的新住民媽媽，在結訓通過試教和筆試取得證照後，即能在學校開設新住民語言課時，在課堂上當助教。新住民媽媽都很珍惜這個學習機會，努力克服困難到溪口國小上課，而且上課非常認真，像懷嫻的媽媽阮芳翠，上課時一面聽講一面拿家裡撕下的日曆紙做筆記，一堂課下來寫滿好幾張日曆紙，令人動容。相信這些新住民媽媽經過培訓後，未來由她們在學校開設的東南亞語言課程擔任助教，會讓小朋友學得更快。

愛的回響

有您相陪，幸福加倍

陳孅慈

小時候在放學後總喜歡到街上的書店看書，《安徒生童話全集》就是在等媽媽下班時在書店裡看完的。但當我想再繼續看其他的書時，書店的老闆發現我只看不買，就不再讓我進去看書了，爸媽為了滿足我看書的需求，所以家中就開始訂《國語日報》，書與報紙陪伴我成長。

開創獨有的美好世界

師專畢業回家鄉教書，遇到一位帥氣小男孩，這小男孩小學的學習生涯如孔子一般周遊列國，直到六年級時才轉到我的班級，看著他的學籍紀錄簿，平均一年一所學校。帥氣的小男生打開國語課本，斗大的字認不了幾個，最熟悉的字是他的名字。我曾問他：「我們到一年級重新把注音符號學好，好嗎？」身高一百五十公分的他搖了搖頭，所以我只能上完班上同學的國語課後，再利用空檔教他。眼看著快畢業了，他的國語及數學程度還是拉不起來，我只好趕緊教他台灣各地火車站的站名，好讓他能順利搭火車回嘉義；教他運用電子計算機，以免買賣時不會加減乘除而受騙。小男孩要畢業前，拿出他的積蓄買了一個書包送給剛考上師院的我，鼓勵我要好好讀書。但是，帥氣小男孩國小畢業後沒多久就失去聯絡，後來打聽到他入監，接著聽聞到他已過世，這消息讓我一直無法釋懷……如果，當時他能認識更多的字，懂更多的書，是不是就不會走上歧途……

洪蘭教授曾說：「學習應該多元與想像，讓孩子在歡笑中探索自己的興趣與長處，自然而然就會開創出他獨有的美好世界。」所以從二〇〇六年任職雙溪國小校長開始推

陳嫩慈校長協助學生整理書箱的書

藍色超人搬運書箱到溪口國小多元文化書庫

動閱讀，初始是好友秀如老師指導我們，接著是洪蘭老師贊助經費，改善雙溪國小閱讀環境。為了讓偏鄉的孩子與世界接軌，雙溪國小成為第三所讀報學校，更在伙伴們的深耕勤耘下，榮獲教育部閱讀磐石獎及天下雜誌閱讀典範學校獎勵。

徜徉書海，編織夢想

一〇一學年度任職梅北國小，全校親師生透過「廣達有書才會贏」的資源，一同努力爭取，終於改善了可以讓孩子們徜徉書海的圖書館。適合孩子閱讀的圖書館，不但可以獲得知識，更可以一同編織未來的夢想。因有大家的協助幫忙，梅北國小在一〇三年度榮獲教育部閱讀磐石獎的肯定！

一〇五學年再次回到家鄉——我的母校服務，希望能與我的學弟妹們喜悅地徜徉書海，共同編織夢想。謝謝陳一誠執行長將嘉義縣第一座「多元文化愛的書庫」設置在我們溪口國小，溪口國小親師用心陪伴孩子，讓孩子們的閱讀習慣落實在日常生活中。閱讀志工團爸媽們，引導孩子了解來自東南亞媽媽家鄉的故事，讓孩子們認同媽媽家鄉的文化。在親師的努力下，溪口國小閱讀志工團一〇七年度榮獲教育部閱讀推手團體獎的肯定！

英國前教育部長布朗奇曾說：「每當我們翻開書頁，等於開啟了一扇通往世界的窗。」若孩子擁有閱讀力，他便不會因為地域的限制而感到視野貧乏……

揮灑你我的情感，創造共同的回憶，延續感動的故事……

農夫想留下肥沃的土地，為大地孕育生命而苦心耕耘；
畫家想留下唯美的作品，為世界增添色彩而用心創作；
旅人想留下雲遊的足跡，為人生收集感動而細心觀察……

在閱讀推動的希望工程裡，謝謝您們的陪伴……讓我們幸福加倍！

熱情爆表的「愛媽」

台中市曉明女中「愛的書庫」是台灣閱讀文化基金會成立的第一百座「愛的書庫」，是一座提供國、高中學生及一般社區共讀書本的書庫。學校一群強而有力的「愛心媽媽」（簡稱「愛媽」）主動擔任志工，她們不只熱心、負責且能力極佳，更設計像「午茶說書」、「書香日闖關遊戲」、「書香日天使蛋糕義賣」……等延伸活動，讓學生把閱讀當成快樂、新奇的事。學校圖書館主任官淑雲說：「曉明女中愛的書庫若沒有『愛媽』，絕對暗淡許多！」

台中市曉明女中「愛的書庫」志工

一般以升學為導向的國、高中，學生大多以課業為重，因此「愛的書庫」絕大多數都設在國小，較少設在國中或高中，但曉明女中卻顛覆傳統思維，主動寫信給台灣閱讀文化基金會，強調學校重視閱讀，希望能爭取在該校設立一座供國、高中學生及成人閱讀的「愛的書庫」。曉明女中主動爭取的動作，引起基金會執行長陳一誠的注意，在與圖書館主任官淑雲多次聯絡後，陳一誠給了這樣的回覆：「貴校將成為第一百座愛的書庫。」

第一百座「愛的書庫」落腳曉明女中

曉明女中自己募到五十箱書籍，加上基金會提供的書籍，第一百座「愛的書庫」就在二〇〇九年啟用，不只國、高中學生可借書，比較特別的是一般社區民眾也可借閱

2009年底第100座「愛的書庫」於台中市曉明女中揭牌

共讀。為社區準備的書箱佔了五分之一，書箱數逐年增加，從第一年的一百箱，到二〇一九年已增加到二百多箱，全靠學校、老師和「愛媽」志工隊的努力而來。從「愛的書庫」設立的那一刻起，「愛媽」從此成為曉明女中「愛的書庫」的靈魂人物。

「拚命爭取到『愛的書庫』後，才發現光靠學校的行政人力是不夠的！」曉明女中圖書館主任官淑雲發現，舉凡「愛的書庫」書籍的整理、書箱的借還、書庫的環境清潔……等，都要有人支援，一開始是由圖書館人員來做，但現有人力有限，已不足以應付需求，因此她尋求愛心多、能力強的「愛媽」志工隊協助。曉明愛心志工隊二十三屆隊長林秀桂表示，志工隊有七成人力都在協助圖書館，大家對圖書整理等相關工作不陌生，所以可以勝任書庫的管理工作。後來經討論後，決定由女兒已畢業想繼續為學校服務的愛媽，擔任「愛的書庫」志工，雖然只有七位，但她們幾乎什麼都能做，幾年下來讓書庫的運作非常順利。

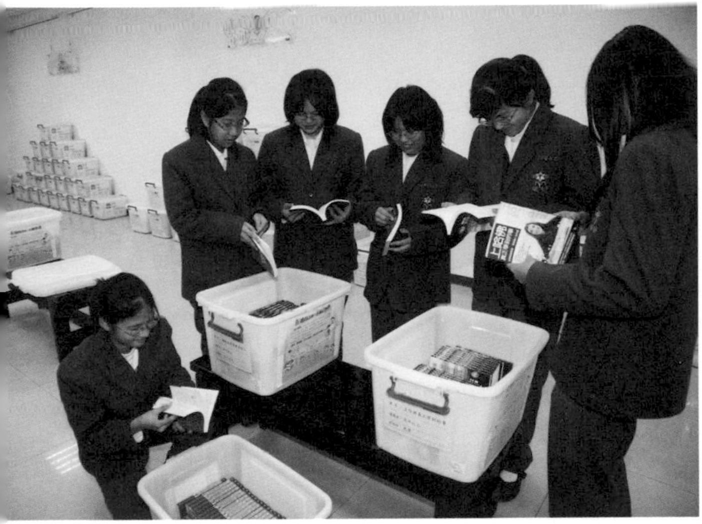

「愛媽」積極參與、設計書庫活動，讓學生把閱讀當成快樂、新奇的事

「愛媽」志工成為支柱

曉明女中「愛的書庫」每週一、二、五上午九點到十二點提供借、還書箱的服務，因為每個書箱的重量不輕，一個人很難將書箱搬上搬下，因此每次要有兩位「愛媽」值班。輪值的人幾乎沒有閒著的時候，借還書箱、新書編碼、舊書修補、擦拭書箱、環境清潔、期末盤點……，每位志工都身材纖細，

製作卡片感謝藍色超人

裝了四十本書的書箱，需要兩個人才有辦法堆疊上去或從書箱堆中搬下來，曾有人一次還十六個書箱，光是把書箱歸位，就搬到雙手痠軟。

這群可愛熱心的「愛媽」志工們除了盡責做好份內的事，還有更多額外的付出。「愛媽」施芊鏵說，有時書箱裡的書籍少了一本，而這本書已經絕版了，台灣閱讀文化基金會也沒有餘書可增補，大家就會到舊書攤或二手書店找尋，找到即補回到書箱裡，通常這種任務大多能順利達成。

這七位書庫的「愛媽」志工，把全校學生都當自己女兒般疼愛，會跟借書的學生聊生活瑣事，也會認真觀察學生們借閱書籍的喜好。「愛媽」雷子宜說，高中部的學生來借書時已有定見，明確表明要什麼書，國中部的學生則常會受到圖資股長的影響，股長推薦或喜愛的書籍，通常也會被班上同學採納。如果有希望學生看的書，她便會跟前來的圖資股長和搬書箱的同學聊天，暗示某本書很好看，引發她們的好奇心，她們往往在交頭接耳討論後會大聲地說：「我們要借你剛剛說的那本書！」像《廚房劇場》這本書，就是在這樣的暗示下被學生借走。明示暗示下推薦的書，學生閱讀後的反應大多很好，見到她們喜歡，一顆懸著的心才放下。

「午茶說書」精彩開鑼

「我們活著是為了開心地燃燒生命，做無悔的事，讓自己在有生之年過得快樂。」「愛媽」雷子宜在「午茶說書」活動裡，輕輕柔柔地唸著余華小說《活著》一書中的人物楚琪的經典對白，學生們彷彿也進入書中的世界。這是「愛媽」雷子宜被圖書館主任官淑雲發現具導讀說書專長，並「用力」地鼓勵和勸說後，為「愛的書庫」加開了「午茶說書」活動。

「子宜好會說故事！一本書、一部電影、一齣韓劇，都能被她說得精彩無比！」跟雷子宜搭檔值班的「愛媽」李琦雯透露，兩人一起在編書碼、修補書時，雷子宜邊做會邊跟她分享看過的戲劇或書的內容，透過她的口，任何一本書或一齣戲，都好似在眼前演了一遍，精彩萬分。雷子宜的這項專長，自然也被官淑雲「充分利用」，利用中午午休的時間，辦理「午茶說書」，一個學期大約說四到五本書。「午茶說書」採自由報名，每場參加的人數不多，雷子宜希望能以喝茶聊天的方式，讓學生們輕鬆地聽她導讀

愛媽雷子宜的「午茶說書」，導讀書籍精彩深入，受到同學們的喜愛

書籍。

雷子宜說，一開始只有四位學生報名，但不管人數多少，自己話匣子一開就滔滔不絕，說書時間結束後，礙於時間不夠，也無法得知學生是否喜歡，直到下一個學期開放「午茶說書」報名，每場報名都滿額，這才知道原來說書有說到學生的心坎裡。

雷子宜原本以為學生是由導師或國文老師建議報名的，直到有一次遇到一位學生，她興奮地問：「這學期是不是要導讀諾貝爾文學獎的得獎作品？」細問後才知道她上學期來聽過「午茶說書」，而她跟很多人都是自己報名的。同學們的喜愛，讓雷子宜愈說愈起勁。

變換類型，深入導讀

雷子宜選擇「午茶說書」導讀的書籍非常用心，她會變換書籍的類型，也會嘗試搭配學校教的課程去挑書。她說，變換書籍類型是希望學生閱讀不要「偏食」，只挑自己喜歡的類型，因此會從英美日近代文學書籍中挑選一本，再搭配一本現代文學，若剛好碰到公布諾貝爾文學獎得主，也會安排諾貝爾獎得獎作品的導讀。

雷子宜說書的精彩，除了迷人的語調、說故事的功力，她的旁徵博引也讓大家佩服不已。她說，選定一本書後，會把類似年代、背景的書籍，或是這本導讀書籍的相關歷史與地理資料都一併介紹，讓學生聽一本書的導讀，能有更多的收穫。

譬如，知名演員李奧納多因電影《大亨小傳》入圍奧斯卡金像獎最佳男主角，這部電影改編自同名小說，而該小說已被改編重拍過多次電影，顯示對美國電影或文學都有重要的意義，因此她決定導讀《大亨小傳》。這部小說是以一九三一年經濟大危機的年代為背景，當時是二次世界大戰的前期，因此說書時也把這段歷史加了進去，並介紹同一時期中國名作家錢鍾書的小說《圍城》，讓聽講的學生們有所比較。

為世界書香日舉辦的大型閱讀活動

世界書香日的「樹下講堂」說書活動

十八般武藝樣樣精通

雖說「愛的書庫」志工只有七位，但曉明女中「愛媽」志工隊一百六十名志工，幾乎都是「愛的書庫」志工背後的支持力量。曾任志工隊長林秀桂表示，學校每年的「世界書香日」會舉辦大型的閱讀活動，志工們絞盡腦汁設計闖關遊戲，除與閱讀有關，也有學科的延伸，而去年的「世界書香日」活動主題是「漫轉世界『童』學會」，闖關遊戲的題目都配合這個主題，活動中也加入「樹下講堂」，由雷子宜發揮她說書的功力，為學生導讀寫十九個度量衡故事的《亨利國王的鼻尖》。

「世界書香日」的重頭戲還有義賣天使蛋糕，由「微熱山丘」提供天使蛋糕義賣，每賣一個就有七十七元的圖書基金，只要基金達一萬元就可添置一個書箱，因此「愛媽」志工們可說是全體總動員。林秀桂說，「世界書香日」活動前一個月，「愛媽」群組就會貼出義賣天使蛋糕的訊息，鼓勵大家「揪團購」，活動前兩週即統計「愛媽」揪團預購的數量，每年都會有一百五十盒到二百盒的訂購量，也就是說義賣天使蛋糕可獲得「微熱山丘」提撥的一萬一千五百五十元到一萬五千四百元的圖書基金。而「愛媽」志工隊八位幹部還會合捐一萬元，加上學生、老師或企業的捐款，一年透過活動義賣、募款等方式，為「愛的書庫」添購六到八個書箱的書，再加上學校的挹注經費，累積六、七年下來，讓曉明女中「愛的書庫」的書箱多了一倍。

閱讀推動有聲有色

曉明女中新建的至真樓二〇一九年落成啟用，其中圖書館位於六、七樓，閱讀環境更加完善，圖書館主任官淑雲說，學校推動閱讀是從校長到老師，還有「愛媽」們一起來，老師們會為「世界書香日」活動跨科合作，也會配合這個活動設計課程，「愛媽」們更全員動起來，大家的心意都是一樣的，希望曉明女中的孩子更愛閱讀、更了解世界脈動，也更關愛這個地球。令人開心的是，二〇一九年國中教育會考國文作文題目「青銀共居」，教育部選出的範本，其中一篇就是曉明女中國中部的畢業生雷婷羽所寫的，而她就是喜愛並廣泛閱讀的孩子，證明推動閱讀是對的方向。

志工隊長林秀桂進一步補充，學校推動閱讀的用心可從獲得多項獎項看出，二〇一四年學校獲得閱讀磐石獎，二〇一六年「愛媽」志工隊獲頒教育部閱讀推手團體獎，二〇一七年教育部閱讀推手獎則頒給圖書館主任官淑雲，這些獎項對學校和志工隊是肯定，同時也是鞭策的力量，未來要為曉明女中的孩子繼續努力拚搏。

曉明女中學生參與另類教師節感謝藍色超人

愛的回響

用行動支持對的事

施芊鏵

曉明女中「愛的書庫」自九十九學年度開始運作，而我是因女兒就讀曉明女中，在女兒畢業那年因緣際會進入「愛的書庫」執勤，擔任書庫志工愛媽，至今（二〇一九年）已經六年了，內心滿是感動……

在曉明女中「愛的書庫」協助書箱借還作業、書籍清潔整理、新書編碼、期末盤點……等等，皆是出自愛媽們自發性的排班執勤。此外，這期間每年提高書箱箱數，以及提供建議的書目中，都可見到愛心志工夥伴們配合學校政策，出錢出力不遺餘力，足見曉明女中響應「愛的書庫」推動閱讀的用心，是上行下效的。

雖然有時在期初借書曾一次多達三十至四十箱書，在搬動書箱上有些吃力，回家都手軟了或指甲斷裂，但看到借閱書箱學校有遠至屏東、花蓮，甚至一些偏遠山區學校，想到一己的綿薄之力，能讓更多愛閱讀的孩子利用「愛的書庫」這個平台讀到更多元、更豐富的書籍，相信我們所有的夥伴都會綻放會心的微笑！

很慶幸自己能在曉明女中「愛的書庫」執勤，因為曉明女中是一座提供國、高中學

曉明女中學生熱愛共讀

生及一般社區共讀書本的書庫，書籍涵蓋層面廣且多元，讓不同年齡層的人都能找到適讀共讀的書籍，我自己也是受惠者，利用執勤空檔閱讀不少書冊。向下扎根、向上發展，「愛的書庫」將讓台灣閱讀文化更加蓬勃發展，我會繼續用行動支持做對的事。

閱讀如此美妙

很多人都曾在八卦山上三合院廣場排隊，等著品嘗鳳梨酥配一杯熱茶，也從報章雜誌或電視新聞知曉「微熱山丘」鳳梨酥的傳奇故事，但較少人知道「微熱山丘」的天使蛋糕，每賣出一個就提撥七十七元作為「愛的書庫」的購書基金。而香甜可口的蛋糕，到二〇一八年底已幫「愛的書庫」添購了一百八十六箱新書，也就是「微熱山丘」已捐出了一百八十六萬元的購書基金，而促成天使蛋糕成為閱讀運動推手的，就是「微熱山丘」創辦人許銘仁。

「微熱山丘」創辦人　許銘仁

「微熱山丘」創辦人許銘仁，從科技人跨足食品業，兩種事業都經營得有聲有色。他在科技業領域認識了擔任台灣閱讀文化基金會董事長的廖祿立，廖董事長邀請他擔任基金會董事，愛閱讀的他也爽快地答應了，從此成為基金會另一位出錢出力的推手。

八卦山上鳳梨農家的讀冊囡仔

許銘仁從小就住在「微熱山丘」的三合院，因父親做水泥工常不在家，教養他的責任落在務農的阿公身上。當時種鳳梨和生薑的收入微薄，山上農家的生活普遍不佳，許銘仁的阿公「嘸讀冊」（沒念書），雖深知讀書能改變生活，但並沒有耳提面命，要這些孫子認真念書，只說「會讀的就盡量讀上去！」許銘仁有一個姊姊三個妹妹一個弟弟，家中六個孩子中，他算是阿公口中的「會讀的囡仔」，因此只要他肯讀，阿公就會設法讓他繼續讀書。

位在南投市八卦山上的「微熱山丘」，入門就可看到的三合院，是充滿回憶與情感的地方

四、五十年前的台灣，經濟還未起飛，務農收入低，許銘仁的阿公為了六個孩子的註冊費，經常得去向親朋好友借錢，他不只讓孫子們知道「阿公得去借錢給你們」，還會帶著長孫許銘仁一起去借錢，讓他知道要怎麼跟人借錢，而下學期要再借時就派許銘仁出馬，從此借、還錢變成「長孫的任務」。

許銘仁說，每次要向親友借錢時，出門前

阿公都會清楚交代借的金額、歸還日期，歸還期限到了，也常是阿公把錢準備好，要他拿去還給那位好心借錢的親友。阿公總說，借錢誠信很重要，說什麼時候還就一定要如期歸還，這樣才能贏得別人的信任。

從借註冊費學會商場的誠信

「當然也有收成不好或是作物還未到收成期，期限到了卻還不出錢的時候！」許銘仁笑說，還不出錢的時候，阿公還是派他去商洽延期還錢的事，談的內容不外乎是要延多久，例如：「爸爸下月領薪水」、「鳳梨收成後」、「養的豬賣了」，而當爸爸領了薪水回來、水果收成了或養的豬賣掉，就一定再派他去還錢。小時候傻傻的，以為阿公愛差遣他跑腿，長大後才知道是阿公在教他、訓練他，而自己後來創業經商，商場上的誠信觀念，就是小時候去借註冊費時學到的。

從小跟阿公一起生活的許銘仁，受到阿公的影響很多，他記得小時候阿公常跟他說：「你是長孫，做事要有大人樣！」除了要他穩重成熟一點，也告訴他若身上有帶錢，跟一群朋友或弟妹出去買零食吃，就要像個大哥一樣請客，阿公認為願意多照顧別人一點的人，將來也比較有機會當意見領袖。等到長大後真的發現，自己小小的付出，得到的常常超乎想像。

沒有課外讀物的童年

許銘仁是南投市八卦山上的農家孩子，由於家境不好，只能求溫飽，他的童年幾乎沒有課外書籍可看，國、高中則有升學壓力，也沒有時間去看課外書，因此他的美好閱讀記憶始自大學時代。他說，大學念的是中原大學，這是所宗教學校，校內有很多宗教、哲學書籍，當時常在這些書中讀到智慧、勵志的話語，至今記得這樣的一段話：「祂沒說：你的生活無憂無慮，你的日子無苦無勞，你的旅途無風無浪，祂只說：要有『信心』！」這段話從大學時代到後來創業，多年來一直是自己的「心靈雞湯」，因為生活中的憂慮、旅途的勞累、工作上的困難或挫折是常態，只要有信心就會過去。

「神學家尼布爾的〈寧靜禱文〉，也是影響我很深的話語！」許銘仁流利地背誦〈寧靜禱文〉中的一段話——「我的上帝，請賜我寧靜，去接受不可改變的一切，賜我勇氣，去改變我能改變的一切，並賜我智慧，去分辨兩者的不同。」他說，人常常會為不想接受的事實而痛苦、抱怨，有時候也會以為只要有心什麼都能改變，但是有的可以改變，有的卻是怎樣也無法更改，人們最難的就是分辨什麼可改變什麼無法改變，當學會分辨後，對於不能改變的事實就要學著接受，因此他常告訴自己：「眼淚擦一擦，再找其他的機會」。

向古今中外的大人物請益

除了哲學、勵志類書籍，名人傳記更是許銘仁經常閱讀也非常喜愛的書。他說，傳記就像一個人一生的縮影，而從名人傳記中了解到，古今中外的偉人都是從卑微做起，且一生中起起伏伏，但他們沒有被失敗打倒，最後走出屬於自己的道路。

許銘仁也說，若要列舉喜歡的傳記，其實有很多，富蘭克林傳、奇美老闆許文龍的傳記、鄧小平傳記，是印象較深刻的書。常有人問「為何喜歡鄧小平傳記？」，之所以喜歡鄧小平傳記，是因他在中國政治鬥爭中被打趴三次，每次都是倒了再站起來，最後成為很棒的領導人。其實不管是富蘭克林、鄧小平、許文龍，或是其他值得效法的傳主，他們都給了自己一個重大的啟示，那就是人生起起伏伏是正常，要懂得認輸卻永不放棄。只要不把失敗當成嚴重的問題，這個戰場敗了，就另闢一個戰場戰鬥，只要活著，再戰就有贏的機會。

「只有閱讀才能穿越時空、縱橫古今、打破國界，向古今中外的大人物請益！」喜歡讀傳記的許銘仁說，人面再廣，人脈再多，認識的人仍很有限，當碰到問題時，無法在認識的人當中尋求協助或得到啟示時，從書本裡可以找到請益的對象，他們的智慧話語有如醍醐灌頂，一下子就能解除自己的困惑。

在書中找到良師益友的許銘仁，也鼓勵員工、家人閱讀，他在「微熱山丘」後方蓋了一間小屋，用來與家人朋友聚會之用，偌大的房子最明顯的裝潢就是一大面磚造的書牆，他常在這裡安靜地、放鬆地看書，也鼓勵來到這間小屋的親朋好友加入閱讀行列。他說：「客廳坐了五個人，若有四個人拿書在看，剩下的那個人一定也會從書架上找本書來翻閱，當屋裡的人都安靜地享受閱讀時光，不聊天也覺得很快樂！」

天使蛋糕成為「閱讀推手」

擁有多個董事長、董事頭銜的許銘仁，是普仁青年關懷基金會的現任董事，並曾經擔任過兩屆的董事長，這個由「中原大學慈暉社社友會」轉型的基金會，延伸慈暉社服務奉獻的精神，因中原大學位在桃園市中壢區的普仁里，因此取名為「普仁」。以「全方位關懷青少年，發展青少年全人教育」為宗旨，基金會除了有助學計畫，還有引導計畫，即學校提出好的計畫，由基金會出錢協助計畫的推動，每年都幫學子們做了很多事。

許銘仁擔任兩任董事長，在即將屆滿卸任前，董事會擔心未來接任者會有很沉重的募款壓力，他為了不給下屆董事長太大的壓力，允諾會為基金會創造財源，而肩負「創造財源」重任的就是「微熱山丘」的天使蛋糕。

承諾要幫基金會創造財源的許銘仁，其實思索了很久，直到有一天在「微熱山丘」的製造工廠視察鳳梨酥生產情形，看到鳳梨酥只用雞蛋的蛋黃，蛋白成了無用的廢棄品，於是想到以蛋白為主要材料的天使蛋糕，可長期生產成為基金會的財源，因此決定將天使蛋糕的營收全數捐給普仁基金會。

四年添購一百八十六箱新書

「一開始一個天使蛋糕賣一百元，賣一個就捐一百元！」許銘仁說，「微熱山丘」的天使蛋糕營收用來當普仁基金會的財源，這種模式讓很多基金會羨慕，開始試探性地詢問是否也能請「微熱山丘」幫忙。因為請求協助的公益團體不只一個，為了能幫助更多公益團體，決定更改配方、重新包裝，每個訂價增為二百二十元，每賣一個就捐七十七元給需要幫忙的團體。

協助的模式分成兩種，一種是希望取得協助的團體接訂單，由「微熱山丘」生產蛋

吃出來的書箱，巡迴到台中市和平區博愛國小囉！

新竹縣三民國小每年都參與
天使蛋糕義賣活動

南投縣國姓國小義賣天使蛋糕

糕，慈善團體行銷能力愈強，蛋糕賣得愈多，「微熱山丘」捐出的款項就愈多。另外一種模式是從二〇一八年開始，公司每一季指定一個慈善團體，所有在「微熱山丘」通路售出的天使蛋糕，都以每個蛋糕捐助七十七元的方式，作為對該慈善團體的捐款。

台灣閱讀文化基金會這兩種模式都有合作，像是透過各個「愛的書庫」設置的學校或老師會員，以學校園遊會、運動會、世界書香日等活動義賣天使蛋糕，或是贊助單位的團購，或家中生寶寶等，透過台灣閱讀文化基金會訂購天使蛋糕當禮品或彌月蛋糕，數量愈多，「微熱山丘」回饋給基金會的金額就愈高。另外，台灣閱讀文化基金會每年也會得到一筆「微熱山丘」的捐款，來自一季天使蛋糕在「微熱山丘」通路銷售所累積的捐款金額。從二〇一五到二〇一八年，台灣閱讀文化基金會因為天使蛋糕而獲得的款項接近一百八十六萬餘元，幫多所學校的「愛的書庫」添購了一百八十六箱共讀好書。

揪團加入閱讀行列

「每當看到『愛的書庫』書籍的高借閱率，就覺得這幾年所做的事很值得！」許銘仁也說，有些老師非常用心在推動閱讀，「微熱山丘」提供一點資源讓這些熱血的老師運用，公司上下都做得很開心。

從閱讀得到樂趣、獲得幫助的許銘仁，自己愛書也鼓勵員工讀書，已在南投縣府開發的「旺來產業園區」購地準備興建廠房的他，有意未來在新廠區設置「愛的書庫」和「員工子女幼兒園」，幼兒園是鼓勵員工結婚生子，且無後顧之憂地工作，而設「愛的書庫」則是希望員工、員工的家人，或附近的社區、廠家員工能來借閱，他說：「閱讀是如此美妙的事，當然要揪團加入！」

學習的真諦

許銘仁

人從出生開始，一輩子都在學習，從和父母家人的相處學習到關懷、愛和基本的人際關係，上了幼稚園、小學一直到大學，甚至研究所，我們就開始接受各種知識的教育，讓我們具備了生活的基本能力，但這些知識似乎支撐不了我們生存一輩子的所需，尤其出了社會面對工作及生活的各種狀況及挑戰，就會知道自己欠缺的還很多，而我們又當如何學習填補這些東西呢?!

前些日子在網路上看到一段話，心裡頗有感觸，它是在探討學習的真諦。

有人問一位老人：「你總是在學習，通過學習，最終得到了什麼？」

答：「什麼都沒有得到。」

再問：「那您還學習做什麼呢？」

笑答：「我可以告訴你學習讓我失去的東西。我失去了憤怒、糾結、狹隘、挑剔和指責、悲觀和沮喪，失去了膚淺、短視和計較，失去了一切無知、干擾和障礙。」

學習的真諦，不是為了加法，而是減法。

彰化縣線西國小用天使蛋糕獎勵大隊接力第一名的班級

這就是智慧，讓我們看到自己的不足，讓我們知道自己的缺點，讓我們懂得謙卑，讓我們懂得珍惜自己、尊重別人。期待我們自己做個有大用的人，或至少做個有尊嚴、快樂的人；有一顆善良的心，愛護家人、善待朋友及關懷社會；有個誠實的個性，不做壞事，勇於認錯；還要懂得寬容，具備足夠的勇氣，去面對困難、追求夢想及承擔責任。

這也是想像力的開始，當我們可以拋棄、不拘泥所學的東西，我們才能激發自己的想像力。愛因斯坦說：想像力比知識更重要。知識是別人創造出來的東西，而想像力才能創造出屬於自己獨特的東西，這才是我們應該有的價值。

所以能夠提供小朋友一個課外閱讀學習的環境，養成一種求知的習慣，透過各種書籍的熏陶，長期下來必將帶給小朋友良好的正面能量，我想這是台灣閱讀文化基金會的初衷。

year
2005

結合中部企業贊助與南投縣政府支持，建置台灣閱讀推廣中心網站及愛的書庫圖書資訊查詢系統，邀集南投、彰化教師參與選書及編寫學習單；同年九二一震災重建基金會支持，全國第一座「愛的書庫」於南投縣草屯鎮虎山國小成立，以共讀、循環、分享機制流通圖書。

南投縣虎山國小愛的書庫

教師參與選書

書庫開放教師自行載書，第一位老師載了 9 箱書

台灣閱讀推廣中心揭牌暨網站啟用典禮，由南投縣長林宗男、九二一震災重建基金會執行長謝志誠共同主持

第一屆董事會成員合影

year

2006

九二一震災重建基金會階段性任務結束，財團法人台灣閱讀文化基金會立案登記，董事會由企業界及學術界組成，由廖祿立先生擔任第一屆董事長，永續運作「愛的書庫」，負責各縣市書庫的設置、運作與推廣。

year
2007

首座離島書庫在連江縣北竿鄉塘岐國小成立，2008 年金門縣金鼎國小、澎湖縣文光國小書庫啟用，完成三座縣級外島至少一座書庫設置，搭配書箱調度機制，讓離島校園同享閱讀資源。

「愛的書庫」起源在南投，在民間資源與政府部門的支持下，南投縣率先完成一鄉鎮一書庫的設置目標，在地的書庫服務在地的教師，記者會由時任教育部國教司潘文忠司長（現為教育部長）主持。

第二屆董事會成員合影

首座離島書庫：連江縣塘岐國小愛的書庫

南投縣率先完成一鄉鎮一書庫

台北縣政府挹注經費購置書箱

year
2008

各縣市政府認同「愛的書庫」共讀推動模式，公款陸續挹注「愛的書庫」書箱，2008 年台北縣（現為新北市）政府，挹注新北市「愛的書庫」學校書箱量多達 1,700 箱，滿足新北市共讀書籍的需求，現在書籍更透過新竹物流公益託運跑遍全台灣每個角落，讓資源發揮更大的效益。

year
2009

第 100 座書庫在台中市曉明女中成立，是全國首座完全典藏國、高中班級共讀圖書的書庫，並搭配成人適讀書箱，共讀推廣自校園走入社區。該書庫由曉明女中愛心媽媽團隊協助管理，並踴躍參與基金會各項活動，串起許多溫暖的連結。

教育替代役閱讀培訓座談

教育部支持「愛的書庫」共讀理念，將部分原派發至學校的教育替代役分發至設置「愛的書庫」的學校，協助校園閱讀推廣，也解決學校書箱搬運的人力問題，從首批教育替代役至最後一批役男，合計近 1,000 名役男為校園閱讀推廣奉獻一份心力。

year 2009

新竹物流將公益融入本業，從一開始協助南投縣和花蓮縣公益運送書箱，到支持全台灣「愛的書庫」公益託運服務，大大的減少推動閱讀的老師們的負擔，也解決偏遠學校借書的困難。

新竹物流公益託運

八八水災新竹物流協助整理書箱

莫拉克颱風來襲，南部陸續傳出嚴重災情，在震驚之中，台灣閱讀文化基金會收到了來自南部老師的求援信，本著關懷校園的初心，基金會將「愛的書庫」書籍化整為零，釋出 12,000 冊圖書，將愛與希望送到受災學校，新竹物流也一起響應支持，安排司機擔任一日志工協助整理圖書，將圖書全數送到受災學校，幫助學校解決沒有圖書資源的困境，使孩子學習不中斷。

愛的書庫慈善音樂會文宣

year 2010

與國立臺灣交響樂團首度合辦「愛的書庫慈善音樂會」，首場為林昭亮弦樂之夜，邀請捐助單位、熱心推動閱讀的教師志工及學生參與。歷年辦理廣受好評，企業轉贈票券邀請校園參與累積近 2,500 張，以音樂與閱讀豐富學習生活。

year

2011

另類教師節：新竹物流南投站所書庫布告欄

「愛的書庫」整合新竹物流系統，將遍布全台的託運服務導入「愛的書庫」借閱系統，讓前一位老師借用的書箱可以直接運送到下一個借閱老師手上，不用先回到書庫再運送出去，使整個借還書流程變得更順暢，也減少貨車運送的趟次及廢氣排放，更為環保。

新竹物流公益託運服務的過程中，司機們扮演了非常重要的角色，他們完成了共讀的最後一哩路。為感謝司機們的付出，台灣閱讀文化基金會在每年教師節發起「另類教師節」感恩活動，邀請老師和小朋友一起感謝司機們，形式非常多元，有按摩、幫忙搬書箱、清洗貨車、為司機表演才藝、送卡片、贈送象徵出入平安的蘋果等，感動無數的司機。

各校熱烈響應另類教師節活動

另類教師節的聖誕節回禮

新竹物流為回饋老師和小朋友在教師節的感恩活動，也在每年的聖誕節準備小禮物，透過司機贈與小朋友，促成司機與小朋友之間良好的互動，形成一個良善的循環。

year

2012

美國南加州愛的書庫

第一座海外書庫於美國南加州喜瑞都中文學校揭牌啟用，運用「愛的書庫」圖書借閱平台，以循環分享機制，將台灣經驗成功複製到海外，服務南加州在地中文學校，師生有更多機會共讀得來不易的繁體中文文本。

與愛樂夢工場行動音樂廳合作，提供古典音樂藝術欣賞，回饋感謝南投、台東、嘉義縣書庫學校師生，這樣以音樂結合閱讀的經驗，近年與國立臺灣交響樂團合作擴大辦理，將音樂種子遍撒校園。

行動音樂廳活動：嘉義縣下潭國小

行動音樂廳活動：嘉義縣大埔國中

「愛的書庫」藍色物流箱前身為損壞率很高的白色置物箱，自新竹物流公益加入後，開始協助「愛的書庫」汰換損壞率高的書箱，除贊助台灣閱讀文化基金會全面汰換現有一萬多個書箱之外，新竹物流的司機更擔任一日志工，到學校協助老師更換書箱，減輕老師負擔，完成了這項艱困的任務。

新竹物流司機協助更換書箱

新竹物流司機到學校擔任一日志工

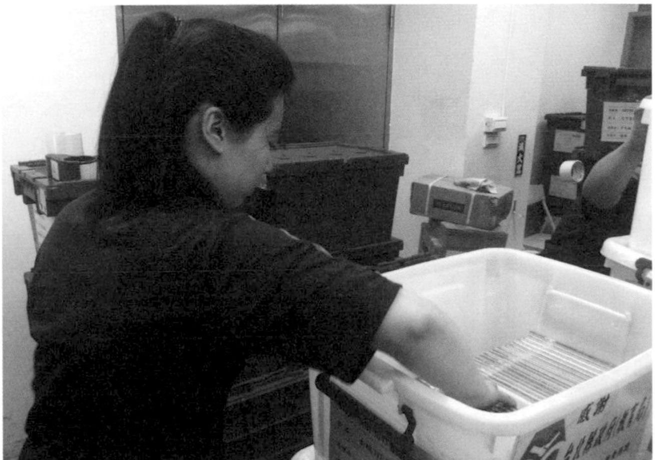

新竹物流司機協助老師整理書箱

year
2013

結合企業贊助，拍攝南投縣閱讀教學觀摩影片，合計十所學校師生參與，從小班討論、混齡教學到英文閱讀，真實呈現班級閱讀課的多元風貌，影片分享於台灣閱讀文化基金會網站及全國圖書教師輔導團網站，提供有心推動閱讀的教師更多教學參考。

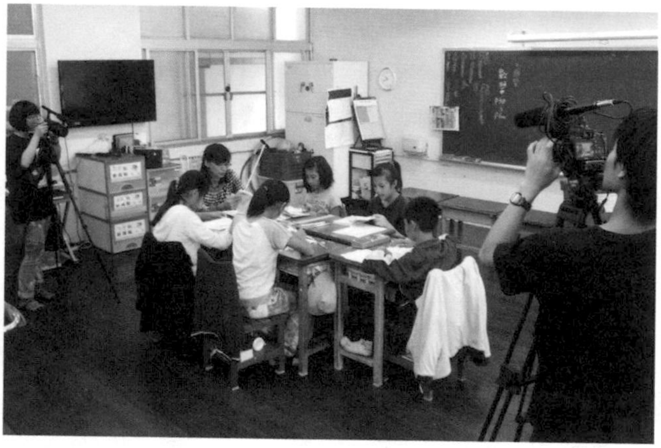

拍攝南投縣教學觀摩影片

year
2014

與台灣三星電子合作，成立全台第一座 SMART School 智慧教室（南投縣埔里鎮育英國小），兩年內完成十五縣市共 15 座 SMART School 智慧教室。每校提供三十台平板電腦及一台 75 吋觸控式螢幕、充電箱等硬體設備，亦搭配班級管理系統、辦理數位教學交流研習，以培訓種子教師，鼓勵實施數位互動教學，發展創新教案及教法，有效提升學生學習動機與興趣。

與台灣三星電子合作成立 SMART School 智慧教室

第一座有聲書「愛的書庫」於台中市惠明盲校成立，為特殊需求師生及樂齡民眾提供多元選擇，擴大閱讀資源使用效益，並陸續規劃英文、多元文化、原住民等特色書庫，滿足多元閱讀需求。

多元文化書庫之共讀書箱，滿足多元閱讀需求

新竹縣關西國小多元文化書庫

彰化縣南興國小英文書庫

嘉義縣溪口國小多元文化書庫

足見幸福講座：繪本作家陳旻昱（高雄市前峰國小）

台東縣綠島鄉綠島國小、蘭嶼鄉椰油國小「愛的書庫」聯合啟用，達到 200 座書庫設置的里程碑，共讀資源首度來到鄉級離島，至 2016 年屏東縣琉球鄉書庫在琉球國小成立，完成三個縣級外島、三個鄉級離島至少一座書庫據點的設置。

新竹物流與見性基金會支持用心推動共讀的學校與老師，認為額外的付出應該得到更多的社會支援，因此發起「足見幸福講座——閃電人生」，將資源引進校園，超過 400 場的經驗分享，參與師生超過 10 萬人次，只開放給戮力推動「愛的書庫」共讀的學校與老師，期待透過這些人物的分享，激勵學生勇敢克服困境，學習樂觀面對生命的態度，能在深耕教育的園地成長繽紛多采的生命。為持續推動講座活動，自 2018 年起，由台灣閱讀文化基金會發起「真人啟示」巡迴講座，延續「足見幸福講座」活動。

足見幸福講座：昆蟲老師吳沁婕（彰化縣員東國小）

足見幸福講座：溜溜球達人楊元慶（彰化縣溪州國小）

足見幸福講座：客家音樂工作者林生祥（台中市瑞城國小）

2014 年起臉書粉絲團的成立，除了推廣台灣閱讀文化基金會的閱讀活動訊息，也在粉絲團發起「愛的書庫成立連署」，透過社群媒體，更能瞭解第一線閱讀推動者的需求與想法，增加與關心閱讀教育的教師、粉絲互動的機會，讓活動呈現更為豐富多元。目前粉絲人數已超過 5,700 人追蹤。

year

2015

台灣閱讀文化基金會與寶田公司合作「微熱山丘天使蛋糕」公益計畫，凡透過台灣閱讀文化基金會訂購天使蛋糕，每盒即回饋捐贈 77 元給基金會，累計捐款金額購置 186 箱共讀書箱，已幫助成立及更新 15 座「愛的書庫」，共同推廣閱讀教育。

高雄市林園國小書箱經費來自天使蛋糕

高雄市前峰國小天使蛋糕義賣

新北市仁愛國小天使蛋糕義賣

校園以團購天使蛋糕支持愛的書庫

教師精進教學研習——數位書箱研習

與台灣三星電子、新竹物流、玉山基金會等異業合作，推動「數位書箱」公益計畫。以台灣閱讀文化基金會為運作平台，由合作單位捐款購置數位書箱，一箱數位書箱內含十台平板電腦及一台充電箱，每學期初透過新竹物流的公益託運，將數位書箱傳遞至偏遠或資源相對不足的學校，協助師生發展數位閱讀及數位互動教學，降低偏鄉數位學習落差並加速數位閱讀的拓展。

數位書箱啟航記者會

year 2015

邀請第一線教師拍攝「數位書箱」教學影片，分享融入數位平板的互動教學課程，內容結合閱讀、國語、綜合、特殊教育等各學習領域，提供多樣化的課程參考，促進教師創新數位教學教法。

數位書箱課程

課程活動 — 平板搭配繪本《捕蝶人》
二年級、六年級協同教學
對這個課程他們來講他們相當地熟悉

高雄市前峰國小數位書箱教學影片截圖

離島作家有約：李偉文

離島閱讀深耕計畫在蘭嶼鄉啟動，第一年邀請木田工場玉米辰作家到蘭嶼各校分享，暢談創作歷程，張友漁、李偉文、張東君、王洛夫等作家也響應加入，辦理迄今已邁入第五年。2019 年起閱讀深耕推廣機制複製到綠島、琉球鄉，讓閱讀推廣兼具深度與廣度。

離島作家有約：王洛夫

離島作家有約：張友漁

搭配闖關遊戲，陪伴聽損幼兒共讀

動聽悅讀——聽力損失幼兒繪本共讀

與中山醫學大學語言治療與聽力學系合作，規劃「動聽悅讀」聽力損失幼兒繪本共讀方案，由聽語系學生一對一、大手攜小手，陪伴聽損幼兒共讀，搭配闖關遊戲，朝早期療育方向前進。

year

2016

「愛的書庫」源自九二一震災重建基金會的支持，感念社會愛心的援助，每當面臨突如其來的無情天然災害，台灣閱讀文化基金會不忘關懷校園師生心靈重建的初心，第一時間主動提供生命教育主題圖書，同時媒合專業心理諮商師辦理校園輔導研習，透過閱讀引導撫慰心靈，陪伴孩子再次展現樂觀積極的生命態度。

校園生命教育輔導研習

校園生命教育輔導研習

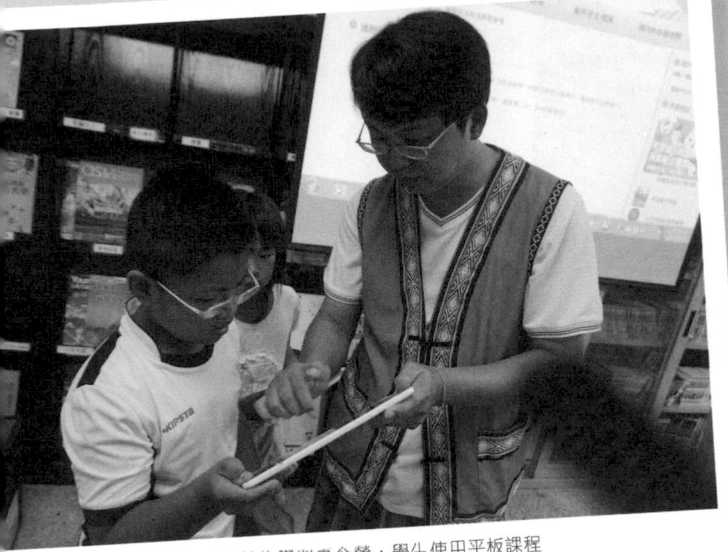

原住民學童數位學習夏令營，學生使用平板課程

與原住民族委員會、台灣三星電子合作「原住民學童數位學習夏令營」，結合數位書箱資源及部落文化課程，提供偏鄉十所原民學童體驗數位學習融入的創新教學，以縮短城鄉教學資源落差。

原住民學童數位學習夏令營，阿里山國中小結業式

各縣市閱讀深耕計畫在台東縣起跑，結合企業贊助辦理多元閱讀課程與活動，如夜宿圖書館、親子共讀、作家有約、霧裡 fun 魔法等，豐富校園推廣。2019 年起擴大辦理至屏東縣、台中市、雲林縣等資源不利地區鄉鎮區，由於活動課程精彩，加上申請流程簡易，成為校園積極爭取的資源之一！

原住民族教育數位學習課程活動

year

2017

與原住民族委員會及台灣三星電子合作推動「原住民族教育數位學習計畫」，提供十所原民學校數位書箱，透過數位科技資訊，結合各部落原民文化及環境特色，發展文化創新課程，協助民族教育推動。

受肯．羅賓森爵士著作《讓天賦自由》系列書籍啟發，辦理「發現天賦，成為孩子的伯樂」研習，鼓勵教師、家長因應時代變革，轉換角色成為伯樂，陪伴孩子發現天賦，找到興趣與專長，點亮熱情，在人生舞台發光發熱，辦理迄今已邁入第三年，超過 2,500 名教師與家長熱烈迴響，各縣市分享多元智能、適性教學的小故事也在台灣閱讀文化基金會網站上呈現，是相當珍貴的案例資料。

「發現天賦，成為孩子的伯樂」研習，邀請新銳設計師吳季剛的母親──陳美雲女士蒞臨分享

「發現天賦，成為孩子的伯樂」研習，柯華葳教授帶領《讓天賦發光》讀書會

year

2018

全國第一座「數位愛的書庫」於台中市成立，提供首批九座「數位愛的書庫」學校，每校三十台平板電腦及三台充電箱，以書庫學校為基地，透過辦理數位閱讀素養教學主題研習，培訓種子教師團隊。透過教師引導，培養學生正確運用資訊科技進行數位閱讀及自主學習的能力，並邀請專家學者團隊指導，持續陪伴、鼓勵第一線老師在推廣數位閱讀素養教學的路上，勇於突破及創新，開創數位時代的教材教法。

第一座數位愛的書庫台中市聯合揭牌典禮

數位書庫教學照片（台中市葫蘆墩國小提供）

為了支持推動「愛的書庫」的共讀教師，延續與整合「愛樂夢工場行動音樂廳」以及「足見幸福講座」，台灣閱讀文化基金會發起「真人啟示」巡迴講座，與國立臺灣交響樂團合作，推出室內樂演奏，將音樂種子撒進校園，通過室內樂演奏形式向下扎根，帶領孩子徜徉優美的古典樂世界，幫助孩子們擁有充實的人生，激勵大家朝築夢及良善的旅程前進。

真人啟示巡迴講座：台中市僑忠國小

真人啟示巡迴講座：台南市南興國小

year

2019

第 300 座書庫在屏東縣高樹鄉新豐國小啟用，「愛的書庫」已走入全台三分之二以上的鄉鎮區，有 86% 的國民小學、47% 的國民中學曾運用共讀資源，藍色的共讀書箱成為校園閱讀推動的「標準配備」及最佳的後勤補給站。

第 300 座愛的書庫成立

舉辦數位閱讀專題探究競賽，鼓勵中小學生運用數位閱讀，合作進行專題探究學習，並於活動網站平台，提供師生上傳學習歷程，完整記錄每個階段的探究情形。活動重視團隊合作、探究歷程、學科整合以及理解監控，最後藉由成果發表會，促進校際觀摩交流，培養師生數位閱讀素養，提升數位自學能力。

數位閱讀專題探究競賽（台中市葫蘆墩國小提供）

「數位閱讀專題探究」競賽

寫十贈一：嘉義市育人國小

鼓勵孩子共讀討論之餘，能將所思所得訴諸紙筆。故「愛的書庫」從成立之初便辦理撰寫十篇閱讀作品，即可兌換一本書籍的活動，簡稱「寫十贈一」活動，此活動吸引了近 350 所學校參與，每年兌換出去的圖書量更多達 5 千冊，累計兌換的書籍已超過 5 萬冊，即參與此活動的過程中，已有超過 50 萬篇的閱讀作品產出，培養了孩子閱讀寫作的能力。

國家圖書館出版品預行編目（CIP）資料

閱讀，看見希望：改變台灣閱讀教育的推手——愛的書庫
/ 陳鳳麗採訪撰文 . -- 初版 . -- 臺北市 : 遠流 , 2019.09
面； 公分
ISBN 978-957-32-8639-4（平裝）
1. 台灣閱讀文化基金會 2. 閱讀指導 3. 報導文學

019.1 108013690

閱讀，看見希望

改變台灣閱讀教育的推手——愛的書庫

採訪撰文—陳鳳麗
圖片提供—陳鳳麗、財團法人台灣閱讀文化基金會
主編—曾淑正
美術設計—丘銳致
企劃—葉玫玉

發行人—王榮文
出版發行—遠流出版事業股份有限公司
地址—台北市南昌路二段八十一號六樓
劃撥帳號—0189456-1
電話—(02) 23926899 傳真—(02) 23926658

著作權顧問—蕭雄淋律師
二〇一九年九月一日 初版一刷
售價—新台幣三二〇元

ISBN 978-957-32-8639-4（平裝）

遠流博識網 http://www.ylib.com
E-mail: ylib@ylib.com